DEUTSCH ALS FREMDSPRACHE NIV…

▶ **Kursbuch +**
Arbeitsbuch

Lektion 6–10

von

Hartmut Aufderstraße

Heiko Bock

Jutta Müller

Helmut Müller

Max Hueber Verlag

Piktogramme

Hörtext oder Hör-Sprech-Text auf CD oder Kassette (z.B. CD 1, Nr. 3)

Lesen

Schreiben

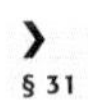
Hinweis auf die Grammatikübersicht im Anhang zum Kursbuch

3. 2. 1. | Die letzten Ziffern
2008 07 06 05 04 | bezeichnen Zahl und Jahr des Druckes.
Alle Drucke dieser Auflage können, da unverändert, nebeneinander benutzt werden.
1. Auflage

Umschlagfoto: © Eric Bach/Superbild, München
Zeichnungen: martin guhl www.cartoonexpress.ch
Druck und Bindung: Schoder Druck Gersthofen
Printed in Germany
ISBN 3-19-191691-1

LEKTION

6 Seite 73

7 Seite 85

8 Seite 97

9 Seite 109

INHALT

„Themen" und „Themen neu" – das ist eine Erfolgsgeschichte, wie sie kein anderes Lehrwerk für Deutsch als Fremdsprache für sich verbuchen kann. Das Geheimnis dieses Erfolgs ist sicher nicht in irgend einer einzelnen Besonderheit zu suchen, sondern liegt in der gelungenen Kombination von methodischen, sprachlichen, textlichen und gestalterischen Qualitätsmerkmalen, die seit vielen Jahren die Kursleiterinnen und Kursleiter ebenso wie die Lernenden zu überzeugen vermögen.

„Themen" ist inzwischen, wir dürfen es wohl behaupten, zu einem Klassiker geworden. Das würde eigentlich bedeuten, dass man dieses Lehrwerk überhaupt nicht mehr verändern darf. Andererseits sorgt aber gerade seine unverwüstliche Langlebigkeit dafür, dass man die vertrauten Seiten vielleicht ein paar Mal zu oft gesehen hat und sich – bei aller Liebe – sozusagen einen neuen Anstrich wünscht. Zudem hat sich in den letzten Jahren auch die Welt in ein paar Punkten verändert.

Deshalb liegt jetzt das Lehrwerk „Themen aktuell" vor Ihnen – hier in der sechsbändigen Ausgabe, die jeweils 5 Lektionen des Kursbuchs und des Arbeitsbuchs in einem Band zusammenfasst. Die alten Qualitäten in neuem Gewand; und da, wo die gestrige Welt uns schon leicht befremdet hat, jetzt die heutige. Wir hoffen, dass „Themen aktuell" Ihrer Freude am Lernen und Unterrichten noch einmal zusätzlichen Auftrieb geben kann, und wünschen Ihnen viel Erfolg und viel Spaß dabei.

Autoren und Verlag

der Frühling

der Sommer

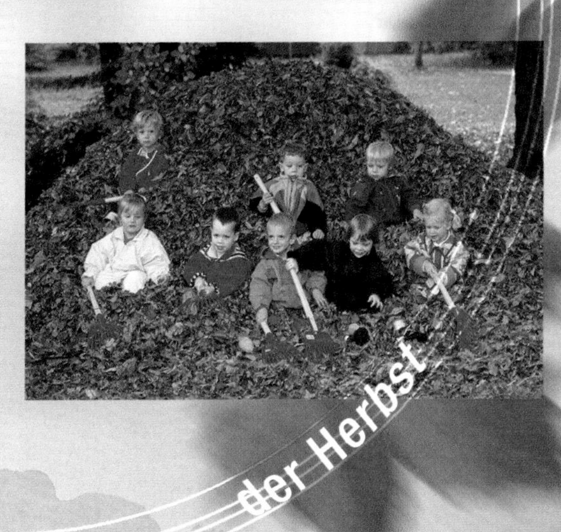

der Winter

der Herbst

der Berg

der Wald

der See

NATUR UND UMWELT

1. Beschreiben Sie die Bilder.

Was glauben Sie:
Wo können diese Landschaften vielleicht sein?
Wie ist das Klima dort?
Diskutieren Sie darüber.
Sie können dabei die folgenden Wörter benutzen.

Thermometer

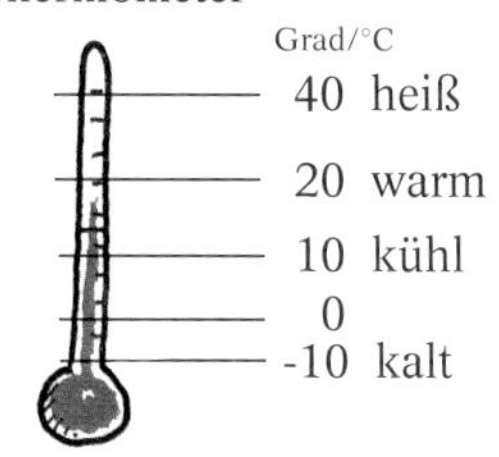

Sonne
die Sonne scheint

trocken

Regen
es regnet

nass

Nebel
es ist neblig

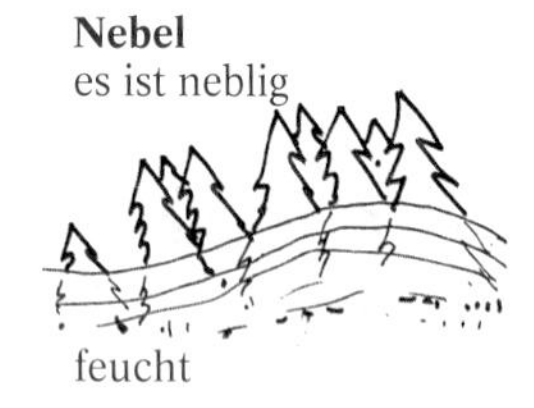

feucht

Schnee
es schneit
Eis

Wind

Baum

Pflanze

Boden

2. Zu welchen Bildern (A, B, C, D oder E) passen die Sätze?

› § 14, 16, § 17

- In Sibirien kann es extrem kalt sein.
- Für Menschen ist es ziemlich ungesund, aber ideal für viele Tiere und Pflanzen.
- Es gibt plötzlich sehr starke Winde und gleichzeitig viel Regen.
- Die Temperaturunterschiede zwischen Sommer und Winter sind sehr groß.
- In der Wüste ist es sehr heiß und trocken.
- Der Golf von Biskaya ist ganz selten ruhig und freundlich.
- Nur im Sommer ist der Boden für wenige Wochen ohne Eis und Schnee.
- Besonders im Norden gibt es im Herbst sehr viel Nebel.
- Das Klima ist extrem: Nachts ist es kalt und am Tage heiß. In 24 Stunden kann es Temperaturunterschiede bis zu 50 Grad geben.
- Typisch ist der starke Regen jeden Tag gegen Mittag.
- In den langen Wintern zeigt das Thermometer manchmal bis zu 60 Grad minus.
- Großbritannien hat ein feuchtes und kühles Klima mit viel Regen und wenig Sonne.
- Deshalb gibt es dort wenig Leben, nur ein paar Pflanzen und Tiere.
- Das Meer ist ist hier auch für moderne Schiffe gefährlich.
- Das Klima im Regenwald ist besonders heiß und feucht.
- Bäume werden bis zu 60 Meter hoch.

Es gibt Nebel / ein Gewitter / schönes Wetter / …
Es ist kalt / heiß / schlechtes Wetter / …
Es schneit/regnet/…

3. Wie ist das Wetter?

Hören Sie die Dialoge. Welches Wetter ist gerade in Dialog A, B, C, D und E?

2/1

Nebel ▢ Regen ▢ Gewitter ▢ kalt ▢ sehr heiß ▢

4. Wie wird das Wetter?

a) Lesen Sie den Wetterbericht.

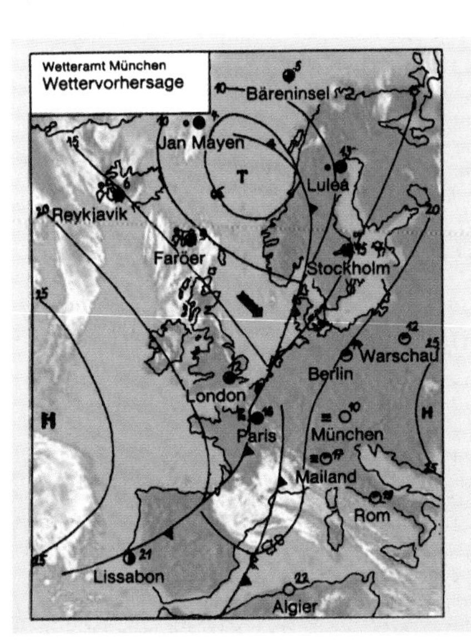

Zeichenerklärung:

- ○ wolkenlos
- ◔ fast wolkenlos
- ◑ wolkig
- ◕ fast bedeckt
- ● bedeckt
- • Regen
- ▽ Regenschauer
- ≡ Nebel
- ✶ Schnee
- Gewitter
- Kaltfront
- H Hochdruckgebiet
- T Tiefdruckgebiet
- ⇨ warme Luftströmung
- ➡ kalte Luftströmung
- Temperaturen in Grad C.
- Luftdruck in Hpa

Wetterlage: Das Tief über Großbritannien zieht allmählich nach Osten und bringt kühle Meeresluft und Regen in den Norden Deutschlands. Das Hoch über den Alpen bestimmt weiter das Wetter in Süddeutschland.

Vorhersage für Sonntag, den 10. Juni:
Norddeutschland: Morgens noch trocken, gegen Mittag wolkig und ab Nachmittag Regen. Den ganzen Tag starker Wind aus Nord-West. Tageshöchsttemperaturen zwischen 14 und 18 Grad, Tiefsttemperaturen nachts um 10 Grad.

Süddeutschland: In den frühen Morgenstunden Nebel, sonst trocken und sonnig. Tagestemperaturen zwischen 20 und 24 Grad, nachts um 12 Grad. Am späten Nachmittag und am Abend Gewitter, schwacher Wind aus Süd-West.

Familie Wertz wohnt in Norddeutschland, in Husum an der Nordsee.

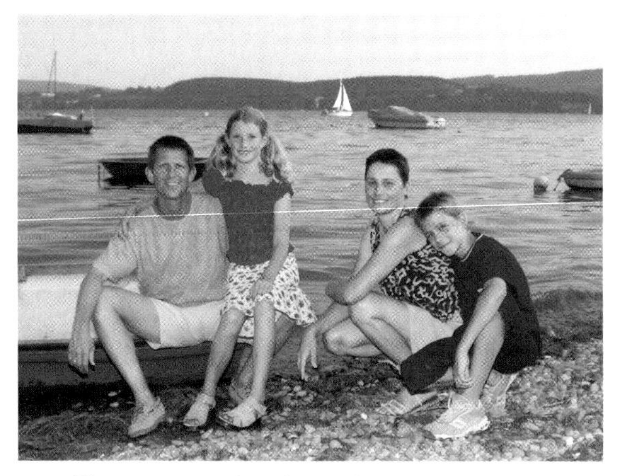

Familie Bauer wohnt in Süddeutschland, in Konstanz am Bodensee.

b) Beide Familien überlegen, was sie am Wochenende machen können. Sie lesen deshalb den Wetterbericht. Was können sie machen? Was nicht? Warum?

morgens einen Ausflug mit dem Fahrrad machen
morgens segeln
morgens im Garten Tischtennis spielen
mittags das Auto waschen
nachmittags im Garten mit den Kindern spielen
nachmittags im Garten arbeiten
nachmittags baden gehen
nachmittags eine Gartenparty machen
abends einen Spaziergang machen

5. Wetterbericht

a) Hören Sie die Wetterberichte.

b) Der erste Wetterbericht ist für Süddeutschland. Wie ist das Wetter dort? Regen? Schnee? Wolkig? Nebel? Wind? Wie stark? Temperatur am Tag? Nachts?

c) Der zweite Wetterbericht ist ein Reisewetterbericht für verschiedene Länder. Wie ist das Wetter in den Ländern?

	Regen	sonnig	wolkig	Gewitter	trocken	°C
Österreich						
Griechenland und Türkei						
Norwegen, Schweden, Finnland						

6. Erzählen Sie.

a) Sicher haben Sie heute schon den Wetterbericht gelesen oder gehört. Erzählen Sie, wie das Wetter morgen wird.

b) Wie gefällt Ihnen das Klima in Ihrem Wohnort? Macht Sie das Klima/Wetter manchmal krank? Was tun Sie dann? Welches Klima/Wetter mögen Sie am liebsten? Warum?

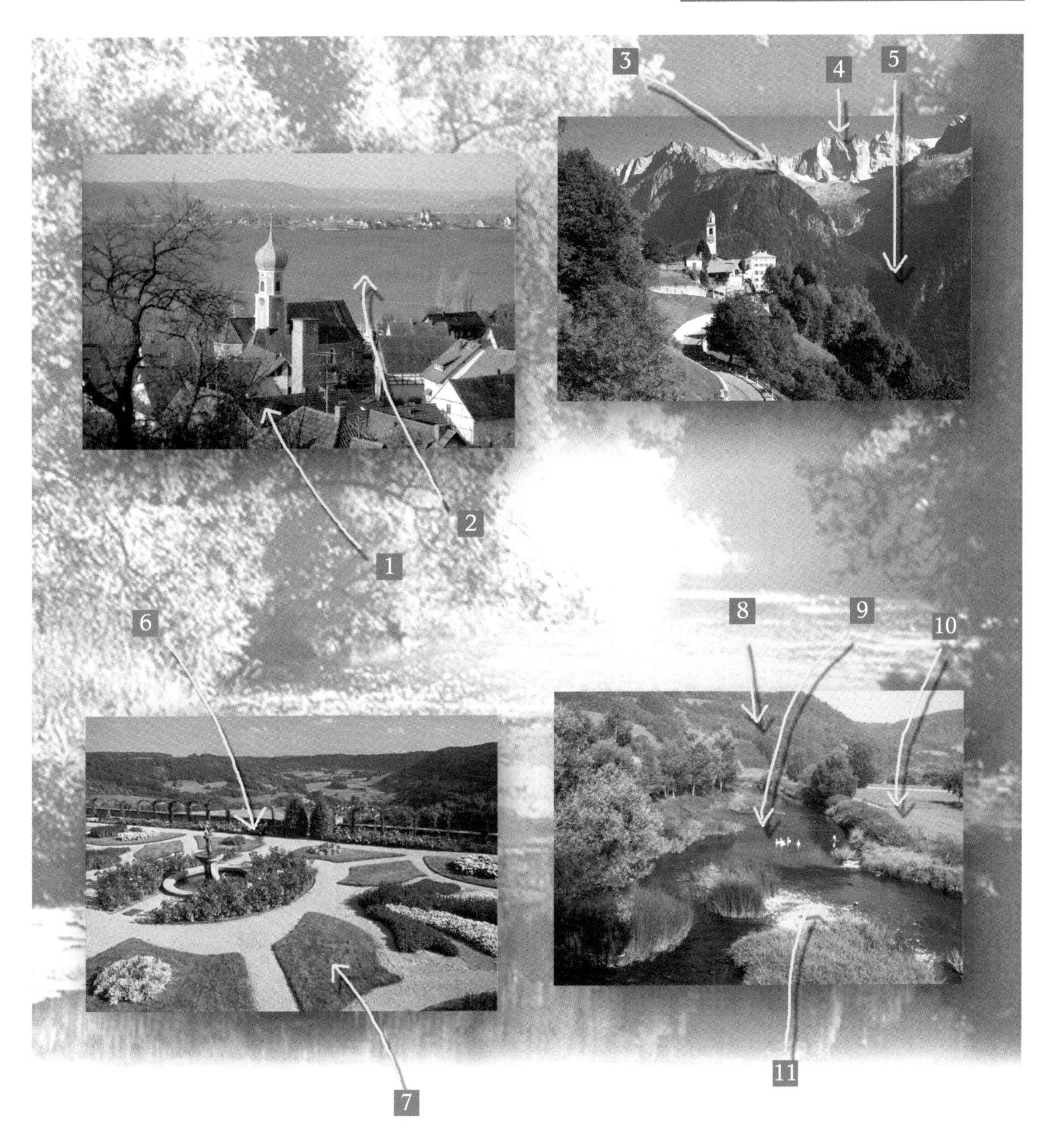

7. Ergänzen Sie die Wörter.

1	das ________	7	der ________
2	der ________	8	der ________
3	das ________	9	der ________
4	der ________	10	die ________
5	das ________	11	das ________
6	der *Park*		

Deutsche Zentrale für Fremdenverkehr

Preisrätsel
Kennen Sie Deutschland?

Wenn Sie an Deutschland denken, denken Sie dann auch zuerst an Industrie, Handel und Wirtschaft? Ja? Dann kennen Sie unser Land noch nicht richtig.
Deutschland hat sehr verschiedene Landschaften: flaches Land im Norden mit herrlichen Stränden an Nordsee und Ostsee, Mittelgebirge mit viel Wald im Westen, im Südosten und im Süden, und hohe Berge in den Alpen. Auch das überrascht Sie vielleicht: Rund 30% der Bodenfläche in Deutschland sind Wald.
Obwohl unser Land nicht sehr groß ist – von Norden nach Süden sind es nur 850 km und von Westen nach Osten nur 600 km –, ist das Klima nicht überall gleich. Der Winter ist im Norden wärmer als im Süden oder Osten, deshalb gibt es dort im Winter auch weniger Schnee.
Anders ist es im Sommer: Da ist das Wetter im Süden und Osten häufig besser als im Norden; es regnet weniger, und die Sonne scheint öfter.
Wenn Sie mehr über die Landschaften in Deutschland wissen wollen, machen Sie mit bei unserem Quiz. Sie können Reisen nach Deutschland gewinnen, um unser Land persönlich kennen zu lernen.

Beantworten Sie die Fragen.
Schicken Sie die Antworten bis zum 31. März an:

Deutsche Zentrale für Fremdenverkehr
Postfach 600
D-60549 Frankfurt/Main

1. Wie heißen die Inseln, die in der Nordsee liegen?
______
2. Wie heißt der Wald, der zwischen Main und Neckar liegt?
______
3. Wie heißen die Gebirge, die zur Tschechischen Republik und zu Deutschland gehören?
______
4. Wie heißt die Landschaft, die im Südosten an der deutsch-polnischen Grenze liegt?
______
5. Wie heißt der See, durch den der Rhein fließt?
______
6. Wie heißt das Mittelgebirge, durch das die Weser fließt?
______
7. Wie heißt der Wald, aus dem die Donau und der Neckar kommen?
______

1. Preis:
14-Tage-Rundreise durch Deutschland für zwei Personen

2. Preis:
7-Tage-Reise für zwei Personen auf die Insel Rügen

3. Preis:
3-Tage-Reise für zwei Personen nach Berlin

4. Preis: Wochenendreise für eine Person nach München
5.–10. Preis: 12 Flaschen deutscher Wein
11.–30. Preis: 1 CD mit deutschen Volksliedern
31.–50. Preis: 1 Landkarte von Deutschland

8. Aus welcher Region Ihres Landes kommen Sie?

Wie ist die Landschaft dort?

Wie ist das Klima dort? (im Frühling, Sommer, Herbst, Winter)

Wie sind die Menschen dort?

Was ist dort besonders interessant?

9. Wie würden Sie einem Deutschen Ihr Land beschreiben? Erzählen Sie oder schreiben Sie einen kleinen Text.

› § 16

Ich komme aus ...

Das liegt in ...

Die Nachbarländer sind ...

Im Norden/Süden/Westen/Osten liegt ...

Die größten Flüsse / höchsten Berge / ... sind ...

Die schönste Landschaft ist ...

Wir haben viele/wenige Wälder/Gebirge/Seen/Flüsse / ...

Das Klima ist im Winter/Sommer ...

...

10. Schauen Sie die Deutschlandkarte genau an. Machen Sie selbst ein Quiz.

› § 29

Wie heißt				
Wie heißt	der Wald/Fluss/Berg, das Mittelgebirge, die Landschaft, die Stadt/Insel, das Meer, das Land,	der die das	in den Alpen liegt und 2962 m hoch ist? aus Frankreich / aus ... kommt? in den / in ... fließt? in der ...see liegt? durch den / durch	
		durch in	den die das	der Main / der Rhein / ... fließt?
		aus	dem der	die Mosel / die Donau / ... kommt?

11. Machen Sie das Quiz auch mit Landschaften/Gebirgen/... in Ihrem Land.

Müll macht Spaß

Wir kaufen Schönheit. Wir kaufen Gesundheit.

Wir kaufen Getränke. Wir kaufen Essen.

Wir kaufen Freizeit. Wir kaufen Mobilität.

Wir kaufen Sauberkeit.

Konsumieren und wegwerfen –

das macht Spaß und ist bequem.

Und der Müll?

Müll macht Probleme

Die Menge

Wir werfen in Deutschland pro Jahr 30 Millionen Tonnen Abfälle auf den Müll. Wenn man damit einen Güterzug füllen würde, hätte er eine Länge von 12 500 km – das wäre eine Strecke von hier bis Zentralafrika. Wir ersticken im Müll: Die Mülldeponien sind voll; die Müllverbrennungsanlagen arbeiten 24 Stunden pro Tag. Dabei gibt es hundert Beispiele, wo wir völlig sinnlos Müll produzieren. Müssen wir denn Bier und Limonade aus Dosen trinken? Brauchen wir bei jedem Einkauf neue Plastiktüten? Gibt es Brot, Käse, Wurst und Fleisch nicht ohne Verpackung zu kaufen?

Machen Sie mit: Kaufen Sie bewusst ein!

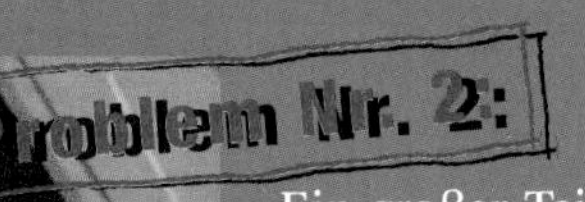

Die Verschwendung

Ein großer Teil der Dinge, die später auf den Müll kommen, wurde industriell produziert. Das kostet Arbeitskraft, Energie und Rohstoffe. Dabei gibt es zum Beispiel für Glas, Papier und Blechdosen eine viel bessere Lösung, nämlich das Recycling. Aus diesem „Müll“ können wieder neue Produkte aus Glas, Papier und Blech hergestellt werden, wenn man sie getrennt sammelt. Auch Küchenabfälle (fast 50 Prozent des Mülls!) sind eigentlich viel zu schade für die Deponie. Durch Kompostierung kann man daraus gute Pflanzenerde machen.

Machen Sie mit: Sortieren Sie Ihren Müll!

Die Gefahr

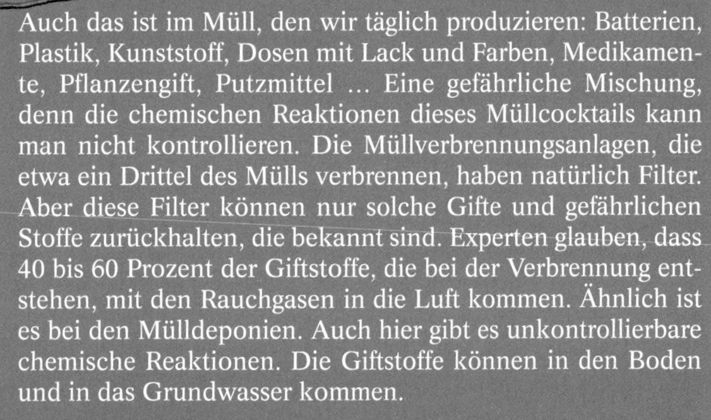

Auch das ist im Müll, den wir täglich produzieren: Batterien, Plastik, Kunststoff, Dosen mit Lack und Farben, Medikamente, Pflanzengift, Putzmittel ... Eine gefährliche Mischung, denn die chemischen Reaktionen dieses Müllcocktails kann man nicht kontrollieren. Die Müllverbrennungsanlagen, die etwa ein Drittel des Mülls verbrennen, haben natürlich Filter. Aber diese Filter können nur solche Gifte und gefährlichen Stoffe zurückhalten, die bekannt sind. Experten glauben, dass 40 bis 60 Prozent der Giftstoffe, die bei der Verbrennung entstehen, mit den Rauchgasen in die Luft kommen. Ähnlich ist es bei den Mülldeponien. Auch hier gibt es unkontrollierbare chemische Reaktionen. Die Giftstoffe können in den Boden und in das Grundwasser kommen.

Machen Sie mit: Bringen Sie gefährlichen Müll zu einer Sammelstelle für Problemmüll!

12. Suchen Sie die Informationen im Text auf Seite 81.

a) Wie viel Müll produzieren die Deutschen jedes Jahr?
b) Wie viel Müll wird in den Müllverbrennungsanlagen verbrannt?
c) Es gibt zu viel Müll. Warum baut man nicht einfach noch mehr Müllverbrennungsanlagen? Wo ist das Problem?
d) Was versteht man unter „Recycling“?

13. Weniger Müll produzieren – wie kann man das machen? Was passt zusammen?

1 Wenn man einkaufen geht, …	… aus Holz kaufen.
2 Getränke …	… immer eine Einkaufstasche mitnehmen.
3 Brot nicht im Supermarkt, …	… kein Plastikgeschirr benutzen.
4 Obst und Gemüse nicht in Dosen, …	… nicht in Tüten kaufen.
5 Wenn man eine Party feiert, …	… nur in Pfandflaschen kaufen.
6 Wenn man Schnupfen hat, …	… ohne Plastikverpackung kaufen.
7 Spielzeug …	… sondern beim Bäcker kaufen.
8 Wurst, Fleisch und Käse …	… sondern frisch kaufen.
9 Milch und Saft …	… Taschentücher aus Stoff benutzen.
…	

Finden Sie noch andere Beispiele.

Der grüne Punkt. Ein Konzept gegen den Müllberg.

„Ein neues Leben für alte Verpackungen.“

Mit diesem Motto will das Duale System Deutschland AG etwas für den Umweltschutz tun. Seit 1991 sind Verpackungen, die nicht in die normale Mülltonne gehören, mit dem so genannten grünen Punkt gekennzeichnet. Sie sollen in speziellen Plastiksäcken oder Mülltonnen gesammelt werden. Dieser Müll wird für das Duale System abgeholt, dann per Hand sortiert und anschließend recycelt. Gesondert gesammelt werden auch Altglas, Altpapier, Biomüll, Sondermüll und Altkleider. Es gibt bundesweit verschiedene Sammelsysteme, weil jede Stadt und jede Gemeinde selbst entscheiden darf, ob sie öffentliche Container oder spezielle Mülltonnen und Müllsäcke für die privaten Haushalte anbietet.

1. In den meisten Regionen gibt es öffentliche Container für Glasflaschen, in denen weißes, grünes und braunes Glas getrennt gesammelt werden.
2. Auch für Pappe, Papier und Altkleider werden überwiegend Sammelcontainer angeboten.
3. Verpackungen mit dem Grünen Punkt (außer Glas und Pappe) werden meist in so genannten gelben Säcken gesammelt, regional aber auch in gelben Mülltonnen.
4. Wer seine biologischen Abfälle (Küchen- und Gartenabfälle) nicht auf dem eigenen Grundstück kompostieren kann, erhält dafür meistens eine grüne Biotonne; öffentliche Behälter sind eher selten.
5. Sondermüll (Schadstoffe) kann an bestimmten Tagen zur Mülldeponie oder zu einer mobilen Sammelstelle gebracht werden.

Kompliziert? Ganz einfach ist es jedenfalls nicht. Aber im Jahr 2002 haben die Bundesbürger so im Durchschnitt fast 80 Kilo Müll pro Person für das Recycling aussortiert. Dadurch gab es entsprechend weniger Restmüll. Ein schöner Erfolg, meinen viele, aber es gibt auch kritische Stimmen. Denn auch das Recycling kostet Wasser und Strom und belastet die Umwelt. Wer es ernst meint mit der Müllreduzierung, vermeidet unnötige Verpackungen, denn das ist die allerbeste Lösung.

a) Lesen Sie den Text über den Grünen Punkt.
b) Ordnen Sie die Müllarten 1–4 den Behältern auf Seite 83 zu.
c) Diskutieren Sie im Kurs, was Sie von dem Konzept des Dualen Systems halten.
d) Welche anderen Konzepte gegen den Müll kennen Sie? Wie ist es in Ihrem Land ?

14. Denken Sie schon beim Einkaufen an den Müll?

Interviews vor einem Supermarkt.

a) In welcher Reihenfolge werden die Personen interviewt?

1 Mülltrennung? Dazu kann ich gar nichts sagen.

2 Ich bin eine alte Frau und mache nicht mehr viel Müll.

3 Milch kaufe ich in Tüten, weil mir die Flaschen zu schwer sind.

4 Das Thema Müll geht mir langsam auf die Nerven.

5 Meine Kinder essen gerne Joghurt. Da gibt es immer viele Plastikbecher.

6 Wenn ich Wurst und Käse einkaufe, nehme ich meine eigenen Plastikdosen mit.

b) Welche Sätze passen außerdem zu den Personen?

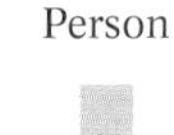

		Person
A	Warum verbietet man die Getränkedosen denn nicht?	
B	Unsere Kinder würden nie Limonade aus der Dose trinken.	
C	Glas bringe ich zum Container vor meinem Haus.	
D	Die Küchenabfälle werfe ich auf den Kompost in meinem Garten.	
E	In meiner kleinen Küche stehen jetzt drei Mülleimer!	
F	Ich habe nur eingekauft, was mir meine Frau gesagt hat.	

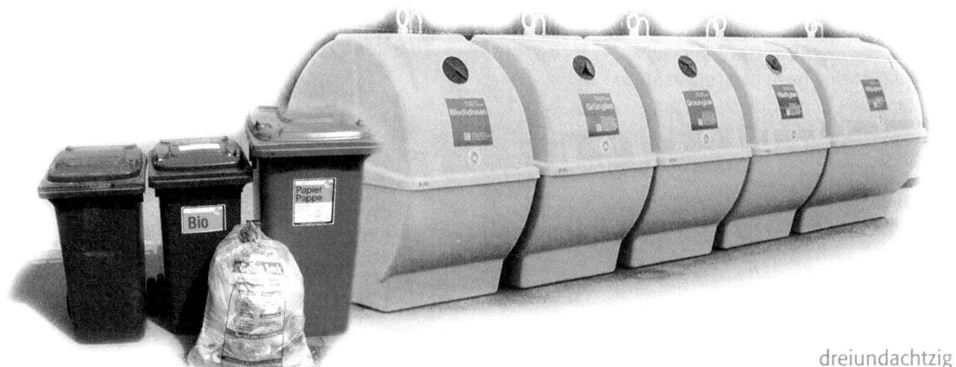

Glückliche Tage

2/9

Ich will nicht klagen.
Die Nacht war ruhig und friedlich,
vom Lastwagenverkehr abgesehen.
Ich habe sogar ein paar Stunden geschlafen.
Und mein Frühstück war wie immer ordentlich.
Gewiss, der Tee schmeckte ein wenig nach Chlor.
Aber das ist ja nicht schädlich.
Auch schmeckte das Ei ein wenig nach Fischmehl.
Doch daran habe ich mich längst gewöhnt.
Und auch der Presslufthammer draußen vor der Tür
machte immer wieder eine angenehme Pause.

Ich will also nicht klagen.

Und dann habe ich einen Spaziergang gemacht
unten am Fluss.
Gewiss, an manchen Stellen roch es nicht so gut,
wegen der vielen toten Fische,
und die Sonne kam auch nicht so recht durch,
weil ein dichter Smog über der Stadt lag,
aber der kleine Spaziergang hat mir sehr gut getan.

Nein, ich will wirklich nicht klagen.

Gewiss, ich bin wohl nicht mehr ganz gesund,
leide öfter unter Kopfschmerzen,
zuweilen auch an Übelkeit,
was mit der einen oder anderen Allergie zusammenhängt,
aber insgesamt geht es mir sehr gut –

ja, ich möchte sogar sagen:
Insgesamt bin ich glücklich.

In Anlehnung an
Samuel Becketts „Glückliche Tage“

1 Hotelzimmer reservieren ◆ 2 den Hund impfen ◆ 3 Geld wechseln ◆ 4 die Koffer packen ◆ 5 den Pass zeigen

DEUTSCHE IM AUSLAND AUSLÄNDER IN DEUTSCHLAND

2/10

1. Interview am Frankfurter Flughafen

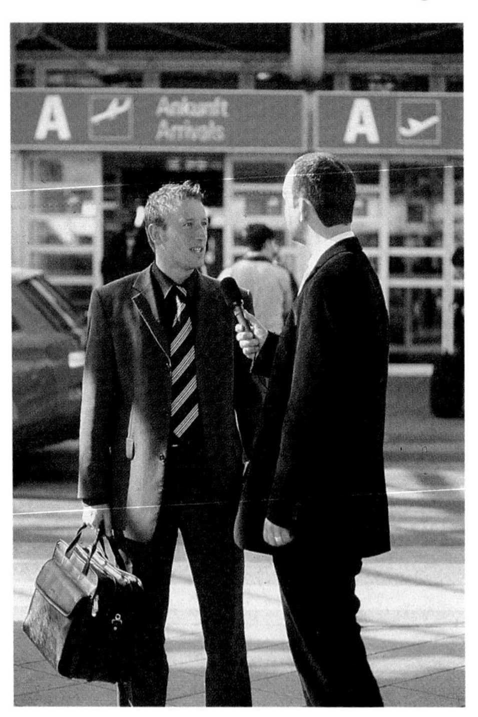

Der Reporter fragt Fluggäste: Was haben Sie auf einer Reise immer dabei? Was würden Sie nie vergessen?

a) Hören Sie die Interviews.
b) Ergänzen Sie die Tabelle.

	Beruf?	kommt woher?	fliegt wohin?	nimmt was mit?
Schweizerin				
Brite				
Italiener				
Deutsche				
Deutscher				

Teddybär Kaffee Gitarre Schirm Kohletabletten

2. Was würden Sie unbedingt mitnehmen, wenn Sie eine Reise ins Ausland machen?

Urlaub mit
Dynamos Versicherungen

Haben Sie nichts vergessen? Ihre Checkliste für den Urlaub

Versicherungen/Ämter/Ärzte

- ❑ Gepäckversicherung abschließen
- ❑ Reisekrankenversicherung abschließen
- ❑ internationalen Krankenschein besorgen
- ❑ Pass/Ausweis verlängern lassen
- ❑ Visum beantragen
- ❑ Katze/Hund untersuchen/ impfen lassen

Bahn/Flugzeug/Schiff

- ❑ Reiseprospekte besorgen
- ❑ Fahrpläne/Fahrkarten/ Flugkarten besorgen
- ❑ Plätze reservieren lassen
- ❑ Hotelzimmer bestellen

Auto

- ❑ grüne Versicherungskarte besorgen
- ❑ Motor/Öl/Bremsen/ Batterie prüfen lassen
- ❑ Auto waschen lassen
- ❑ Benzin tanken

Haus/Wohnung

- ❑ Nachbarn Schlüssel geben
- ❑ Fenster zumachen
- ❑ Licht/Gas/Heizung ausmachen

Verschiedenes

- ❑ Geld wechseln
- ❑ Reiseschecks besorgen
- ❑ Kleider/Anzüge reinigen lassen
- ❑ Wäsche waschen
- ❑ Apotheke: Medikamente, Pflaster besorgen
- ❑ Drogerie: Seife, Zahnbürste, Zahnpasta, … kaufen
- ❑ Koffer packen: Wäsche, Kleider, Anzüge, Hosen, Pullover, Hemden, Handtücher, Betttücher, …
- ❑ Fluggepäck wiegen

DynamosVersicherungen

3. Reiseplanung

a) Lesen Sie die Checkliste für den Urlaub.

b) Was muss man mitnehmen, wenn man in Deutschland Winterurlaub in den Alpen macht oder Campingurlaub an der Ostsee oder wenn man zur Industriemesse nach Hannover fährt? Was muss man vor der Reise besorgen, erledigen, machen lassen?

Nicht vergessen!
Skier, Pullover,
Ski-Schuhe
Fahrkarten besorgen
Pass verlängern lassen
Ferienhaus

Machen Sie drei Listen.

Winterurlaub	Geschäftsreise	Campingurlaub
Alpen, Ferienhaus 2 Wochen, Zug 2 Erwachsene, 4 Kinder	zur Messe in Hannover, Hotel 4 Tage, Flug, im Frühjahr	an der Ostsee, 3 Wochen, mit dem Auto, Hund, 2 Kinder (2 und 10 Jahre), 2 Erwachsene, im Sommer

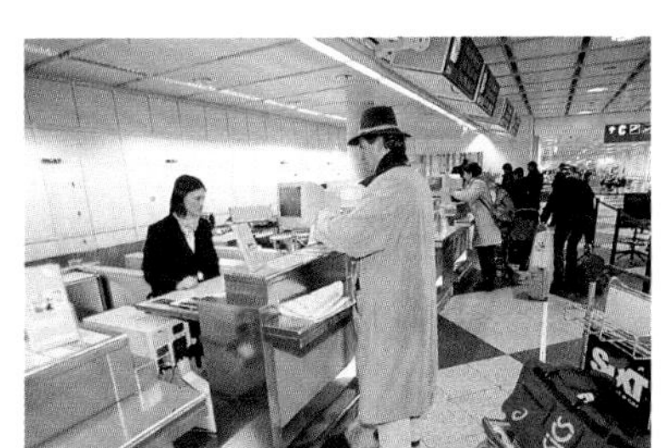

4. Wer macht was?

Themen aktuell 1 › § 47

a) Üben Sie den Dialog.

Visum beantragen / Hund impfen lassen / Hotelzimmer bestellen / Pässe verlängern / Krankenschein besorgen / Bremsen prüfen / Geld wechseln / Auto waschen / Reiseschecks besorgen / Plätze reservieren / Fahrkarten kaufen / Anzüge reinigen lassen

Lass mich	das Visum beantragen.
Du lässt	den Hund impfen.

b) Üben Sie weitere Dialoge mit den Listen, die Sie für Übung 3 gemacht haben.

5. Wenn jemand eine Reise macht, dann kann er viel erzählen.

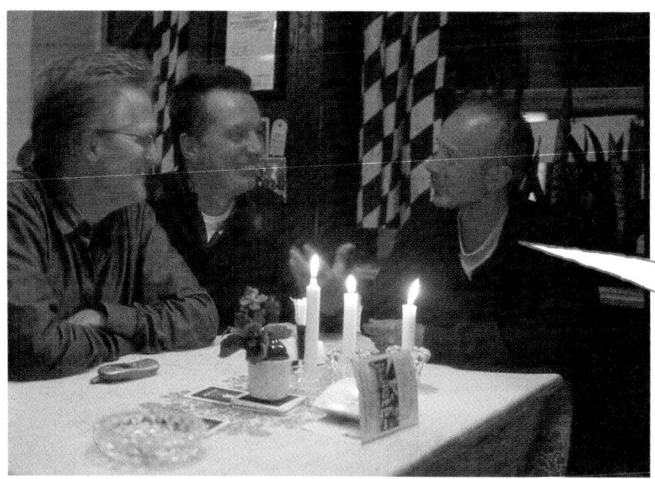

Wisst ihr, was mir vorige Woche passiert ist? Ich wollte am Wochenende Ski fahren und bin deshalb in die Schweiz gefahren. Denn dort war ziemlich viel Schnee. Ich war kurz vor der Grenze, da habe ich gemerkt, dass ich weder meinen Pass noch meinen Ausweis dabeihatte. Normalerweise wird man ja nie kontrolliert, aber ich hatte Pech. Ich sollte meinen Ausweis zeigen. Weil ich keinen hatte, durfte ich nicht über die Grenze. Also bin ich wieder zurückgefahren und habe meinen Ausweis geholt. Nach zwei Stunden war ich wieder an der Grenze. Aber jetzt wollte niemand meinen Ausweis sehen …

a) Lesen Sie zuerst die Stichworte unten, hören Sie dann den Text auf der Kassette. Was ist Herrn Weiler passiert? Erzählen Sie.

› § 28 b, c

Urlaub → an Ostsee/Travemünde → Zimmer reserviert → kein Zimmer frei → sich beschwert → kein Zweck → Zimmer in Travemünde gesucht → Hotels voll / Zimmer zu teuer → nach Ivendorf gefahren → Zimmer gefunden

complain

Verwenden Sie die Wörter:

denn   trotzdem   aber   deshalb   dann   schließlich   entweder … oder   also   da

then   in spite of   but   therefore   then   finally   either or   so

b) Was ist hier passiert? Erzählen Sie.

6. Spiel: Die Reise in die Wüste

(Gruppen mit 3 Personen)

Sie planen eine Reise in die Sahara (auf eine Insel im Pazifischen Ozean, in die Antarktis). Ihre Reisegruppe soll drei Wochen lang in der Sahara (auf der Insel, in der Antarktis) bleiben. Es gibt dort keine anderen Menschen! Unten ist eine Liste mit 30 Dingen, von denen Sie nur fünf mitnehmen dürfen.

Diskutieren Sie in der Gruppe, welche Dinge Sie mitnehmen. Sie müssen sich einigen, welche Dinge am wichtigsten sind.

Vergessen Sie nicht: Sie müssen trinken, gesund bleiben, den richtigen Weg finden; vielleicht haben Sie einen Unfall und müssen gerettet werden. Überzeugen Sie Ihre Mitspieler, welche Dinge am wichtigsten sind. Nennen Sie Gründe.

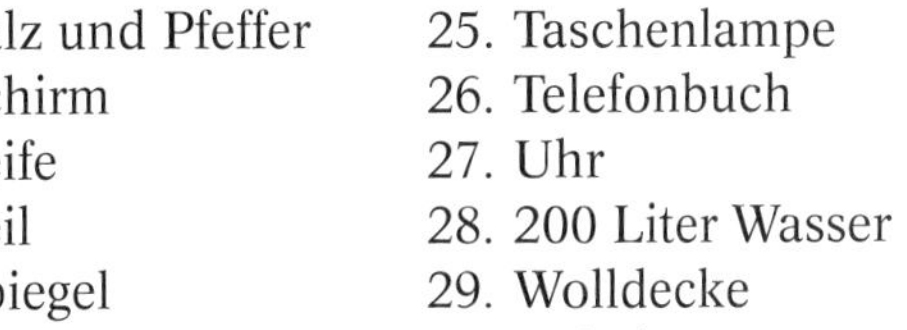

1. 50 m Alufolie
2. Batterien
3. Benzin
4. Betttücher
5. Bleistift
6. Briefmarken
7. Brille
8. Camping-Gasofen
9. Familienfotos
10. 10 Filme
11. Fotoapparat
12. Kochtopf
13. Kompass
14. Messer
15. 100 Blatt Papier
16. Pflaster
17. Plastiktaschen
18. Reiseschecks
19. Salz und Pfeffer
20. Schirm
21. Seife
22. Seil
23. Spiegel
24. Streichhölzer
25. Taschenlampe
26. Telefonbuch
27. Uhr
28. 200 Liter Wasser
29. Wolldecke
30. Zahnbürste

Ich | würde … mitnehmen. / schlage vor, | dass wir … / meine, |
… ist | wichtig. / notwendig.
Das finde ich | unwichtig. / nicht notwendig.

› § 32

… braucht man zum | Kochen. / Waschen. / Schlafen. / Trinken. / Feuer machen. / …

Ich bin dafür. / Einverstanden. / Meinetwegen. / Das ist mir egal.

Ich bin dagegen. / Das ist doch Unsinn. / Nein, aber … / Es ist besser, wenn …

Wenn man in/auf … ist, braucht man | unbedingt / ganz bestimmt / … | … / …

Das | finde / glaube / meine | ich auch.

Journal Beruf

heute: Arbeiten im Ausland

Vor allem jüngere Leute haben uns in den letzten Wochen geschrieben, dass sie gerne mal ein paar Monate im Ausland arbeiten möchten. Es sind zwar immer noch wenige, aber jedes Jahr interessieren sich mehr Menschen für einen Job im Ausland. In den Briefen werden immer wieder dieselben Fragen gestellt:

- Braucht man eine Arbeitserlaubnis?
- Wer bekommt eine Arbeitserlaubnis?
- Welche Berufe sind gefragt?
- Wie kann man eine Stelle finden?
- Wie viel verdient man im Ausland?
- Braucht man gute Sprachkenntnisse?
- Muss man vorher einen Sprachkurs machen?
- Wie lange darf man bleiben?
- Wie findet man eine Wohnung?
- Darf die Familie / der Freund / die Freundin mitkommen?
- Wo bekommt man Informationen?

Wir haben die wichtigsten Informationen für Sie zusammengetragen:

Arbeitserlaubnis
Ohne Visum können Deutsche in die meisten Länder der Welt reisen, aber ohne Arbeitserlaubnis darf man in den wenigsten auch arbeiten.

EU-Länder
Wenn man eine Arbeitsstelle und eine Wohnung hat, bekommt man in allen EU-Staaten eine Arbeitserlaubnis. Das gilt natürlich auch für Bürger anderer EU-Staaten, die in Deutschland wohnen und hier eine Arbeitsstelle haben.

USA
Viel schwieriger ist die Situation in den USA. Dort bekommt man nur dann eine Arbeitserlaubnis, wenn man

› § 26

7. Was fragen die jungen Leute, die im Ausland arbeiten möchten? Was möchten sie wissen?

Sie	fragen, möchten wissen,	ob wie wie viel wo	man ...

2/13

8. Was fragt die Freundin?

Doris Kramer hat gerade ihre Prüfung als Versicherungskauffrau bestanden. Sie möchte jetzt gerne ein Jahr bei einer englischen oder amerikanischen Versicherung arbeiten. Sie spricht mit ihrer Freundin über diesen Plan.

Was fragt die Freundin?
Was möchte sie wissen?

Reportage

Mal im Ausland arbeiten – eine tolle Erfahrung!

Viele möchten gern mal im Ausland arbeiten, doch nur wenige haben auch den Mut, es zu tun. Schließlich muss man seine Stelle und seine Wohnung kündigen und verliert Freunde aus den Augen. Wir haben uns mit drei Frauen unterhalten, die vor dem Abenteuer Ausland keine Angst hatten.

Die Gründe, warum man mal im Ausland arbeiten möchte, sind verschieden: Manche tun es, weil sie sich im Urlaub in eine Stadt oder ein Land verliebt haben, manche, um eine Fremdsprache zu lernen, andere, um im Beruf Karriere zu machen oder um einfach mal ein Abenteuer zu erleben.

Das war auch das Motiv von **Frauke Künzel, 24**. „Ich fand mein Leben in Deutschland langweilig und wollte einfach raus", erzählt sie. Sie fuhr mit 500 Euro in der Tasche nach Südfrankreich. Zuerst wohnte sie in der Jugendherberge und wusste nicht, wie sie einen Job finden sollte. Doch sie hatte Glück. Sie lernte einen Bistrobesitzer kennen und fragte ihn, ob er einen Job für sie hätte. Er hatte. 1300 Euro netto verdiente sie als Bedienung. Die Gäste nannten sie „glacier" – auf Deutsch „Eisberg". „Ich konnte wenig Französisch und war deshalb sehr kühl, um meine Scheu vor den Leuten zu verstecken", erklärte sie uns. Doch nach ein paar Wochen war alles anders. „Ich lernte Französisch und fand Kontakt zu den Leuten." Vor einem Jahr ist Frauke Künzel zurückgekommen, aber eine Stelle hat sie noch nicht gefunden. Trotzdem empfiehlt sie jedem einen Job im Ausland. „Man wird viel selbstständiger, und das finde ich sehr wichtig. Außerdem weiß ich jetzt, was ‚savoir vivre' bedeutet: Es ist besser man arbeitet, um zu leben, als dass man lebt, um zu arbeiten, wie in Deutschland", sagt Frauke Künzel.

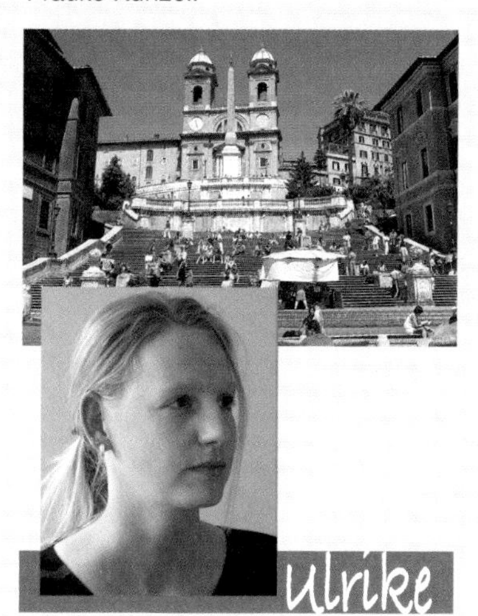

Ulrike Schuback, 26, wollte eigentlich nach Italien, um dort Theaterwissenschaft zu studieren. Doch nach einem Jahr hatte sie keine Lust mehr. Weil sie sich für Mode interessierte, suchte sie sich einen Job in einer Boutique. Zuerst war sie nur Verkäuferin, heute ist sie Geschäftsführerin. „Eine interessante und gut bezahlte Stelle, die mir viel Freiheit lässt. Trotzdem haben es Frauen in Deutschland viel leichter, sowohl im Beruf als auch im Privatleben. In Italien bestimmen die Männer fast alles", sagt Ulrike Schuback. Aber sie liebt Italien noch immer. „Italiener sind viel herzlicher als Deutsche. Auch hier gibt es Regeln und Gesetze, aber die nimmt man nicht so ernst. Das macht das Leben viel leichter."

Für **Simone Dahms, 28**, ist London eine zweite Heimat geworden. Nach dem Studium wollte sie Buchhändlerin werden, aber es gab keine Stelle für sie. „Man sagte mir, dass ich für den Beruf zu alt und überqualifiziert bin", erzählt Simone Dahms. Schließlich fuhr sie nach London, um dort ihr Glück zu versuchen. Mit Erfolg. In einer kleinen Buchhandlung wurde sie genommen, als Angestellte, nicht als Lehrling. Heute ist sie Abteilungsleiterin. „Meine Freunde in Deutschland reagierten typisch deutsch: ‚Wie hast du das geschafft, du hast den Beruf doch gar nicht gelernt?', fragten sie mich", erzählt Simone Dahms. „In England ist eben das Können wichtiger als Zeugnisse", war ihre Antwort. Schwierigkeiten hat sie noch mit der etwas kühlen Art der Engländer. Die Leute, mit denen sie oft zusammen ist, sind zwar sehr nett und freundlich, „aber so richtige offene und herzliche Freundschaften findet man kaum", meint Simone Dahms.

9. Was haben die Frauen gemacht?

a) Frauke Künzel b) Ulrike Schuback c) Simone Dahms

Sie reiste nach England, Sie fuhr nach Italien, Sie ging nach Frankreich,	um	sich eine Stelle als Buchhändlerin dort Theaterwissenschaft selbstständiger sich eine Lehrstelle in einer Modeboutique Abteilungsleiterin Französisch viel Geld ihr Leben interessanter	zu	machen. verdienen. studieren. arbeiten. suchen. werden. lernen.

Sie arbeitete als Kellnerin, Sie arbeitete in einer Boutique, Sie arbeitete als Buchhändlerin,	weil sie	unbedingt Geld sich für Mode Kontakt zu Leuten in London Englisch lernen nicht mehr studieren in ihrem Wunschberuf arbeiten	interessierte. brauchte. suchte. wollte.

10. Was für Probleme hätte ein Deutscher, wenn er in Ihrem Land arbeiten möchte? Was muss er vorher wissen? Was muss er tun? Welche Fehler darf er nicht machen?

11. Was sagen die drei Frauen über Deutsche? Wer sagt das?

Deutsche	nehmen alles zu ernst. sind ziemlich kühl. sind bürokratisch.	glauben zu sehr an das, was auf dem Papier steht. sind nicht herzlich genug. sind immer unfreundlich. finden Arbeit wichtiger als ein schönes Leben.

Fr 10. Mai

Eins Plus

18.00 Uhr plus 3 Reisemagazin

Urlaubstipps, Informationen, Reportagen

Thema heute: Wie beliebt sind deutsche Touristen im Ausland?

Niemand kritisiert die deutschen Touristen mehr als sie selbst: Sie sind zu laut, zu durstig, zu nackt, zu geizig, liest man in den Zeitungen. Deshalb möchten viele Deutsche im Ausland am liebsten nicht als Deutsche erkannt werden. Sie haben Angst, dass die Ausländer schlecht über sie denken. Doch das Bild der deutschen Touristen im Ausland ist freundlicher, als wir selber glauben.

12. Wie beliebt sind die deutschen Touristen im Ausland?

Hören Sie die Interviews. Was denken die Leute über deutsche Touristen?

a) Giuseppina Polverini, 62, Besitzerin einer kleinen Pension in Rom: „Die Deutschen sind …“

b) Louis Sardozzi, 27, Sonnenschirmvermieter in Cannes: „…“

c) Ian Phillips, 47, Londoner Taxifahrer: „…“

d) Pepe Rodríguez, 58, Busfahrer in Palma: „…“

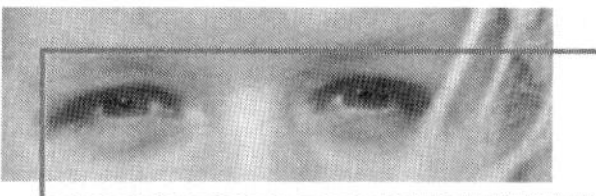

So sehen uns Ausländerinnen

Berufsleben gut, Familienleben schlecht

Korrekt, zuverlässig und umweltbewusst sind sie, aber auch zu kühl. Das sagen drei Ausländerinnen über die Deutschen. Die jungen Frauen kommen aus den USA, aus China und aus Griechenland. Sie leben hier, weil sie bei uns studieren oder weil ihr Mann oder ihre Eltern hier arbeiten.

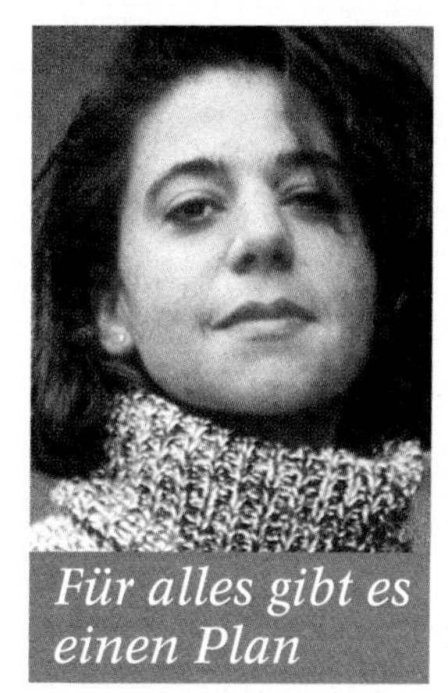

Für alles gibt es einen Plan

Alexandra Tokmakido, 26, ledig, kommt aus Griechenland. Sie studiert Musik.

„Pünktlich, korrekt und logisch sind die Deutschen. Für alles gibt es einen Plan: einen Haushaltsplan, einen Fahrplan, einen Urlaubsplan, einen Essensplan, einen Ausbildungsplan. Genau das stört mich. Hier ist kein Platz für Gefühle. Die Leute sind kühl, man interessiert sich wenig für die Sorgen anderer Menschen", sagt Alexandra. Aber einige Dinge findet sie auch positiv: „Zum Beispiel, dass Jugendliche schon mit 16 von zu Hause ausziehen dürfen. So werden sie früher selbstständig als die Griechen." Sie meint, dass Frauen in Deutschland ein besseres Leben haben. „Wenn bei uns Frauen heiraten, sind sie nur noch für die Familie da, die eigenen Interessen sind unwichtig. Deutsche Frauen sind glücklicher; ihre Männer helfen bei der Hausarbeit und bei der Kindererziehung."

Gute Chancen im Beruf

Stephanie Tanner, 25, ledig, kommt aus den USA. Sie ist Schiffbauingenieurin und macht hier ein Berufspraktikum.

Obwohl sie große Ähnlichkeiten zwischen der deutschen und amerikanischen Arbeitswelt sieht, ist sie doch erstaunt, wie groß hier die soziale Sicherheit besonders für Mütter mit Kleinkindern ist. „Bei uns gibt es kein Erziehungsgeld, keine Reservierung von Arbeitsplätzen für Mütter mit Kleinkindern. Eine Mutter kann höchstens drei Monate zu Hause bleiben, dann muss sie zurück in den Job. Zwar wollen die meisten amerikanischen Männer immer noch, dass ihre Frau zu Hause bleibt, aber das ist vorbei. Es ist wie hier, auch bei uns brauchen viele Familien ein zweites Einkommen, und die Frauen wollen nicht mehr nur auf die Kinder aufpassen." Gut findet sie auch, dass die deutschen Frauen meistens den gleichen Lohn wie die Männer bekommen und dass sie im Beruf leichter Karriere machen können als in den USA. „Der deutsche Mann ist als Kollege etwas toleranter als der Amerikaner. Toll sind auch die langen Urlaubszeiten. Wir haben nur zwei freie Wochen pro Jahr, und das ist für eine Familie einfach zu wenig." Noch etwas gefällt ihr in Deutschland: die freundlichen und sauberen Städte. „Hier kann man selbst in den Großstädten Rad fahren. Bei uns sind die Straßen immer noch nur für die Autos da. Toll finde ich auch das Umweltbewusstsein der Deutschen. Wie sehr wir in den USA die Natur kaputtmachen, ist mir erst in Deutschland aufgefallen. Hier wird man sogar komisch angeguckt, wenn man Papier auf die Straße wirft."

Die Frauen sind zu emanzipiert

Rui Hu, 25, ledig, kommt aus Tijanjing in China. Sie studiert bei uns Germanistik.

„Die Deutschen sind viel spontaner als die Chinesen", sagt Rui Hu, „ich habe mich immer noch nicht daran gewöhnt, dass man hier auch außerhalb der Familie seine Gefühle so offen und deutlich zeigt. Das Leben in Deutschland ist hektisch, alles muss schnell gehen, sogar für das Essen haben die Deutschen wenig Zeit. Jeder denkt zuerst an sich. Das gilt besonders für deutsche Frauen. Ich finde, sie sind zu emanzipiert." Rui Hu versteht nicht, dass sich deutsche Frauen über zu viel Arbeit beschweren. „Auch die Chinesin ist meistens berufstätig, ihre Küche ist nicht automatisiert, und ihr Mann hilft kaum im Haushalt. Aber die chinesischen Frauen klagen nie."

13. Wer ist gemeint?

Das Pronomen „sie“ hat in den Sätzen verschiedene Bedeutungen. Wer ist gemeint: die Deutschen, die deutschen Frauen, die deutschen Männer, die Griechen, die Griechinnen, die griechischen Männer, die Amerikaner, die Amerikanerinnen, die amerikanischen Männer, die Chinesen, die Chinesinnen, die chinesischen Männer? Zu welchen Frauen passen die Sätze?

a) Ihr Leben ist ruhiger, weil sie alles langsamer machen. „sie“ = ______________
b) Sie kümmern sich mehr um andere Leute und möchten wissen, wie es ihnen geht. „sie“ = ______________
c) Sie finden es langweilig, nur Hausarbeit zu machen. „sie“ = ______________
d) Sie finden es normal, dass nur die Frauen die Hausarbeit machen. „sie“ = ______________
e) Weil das Leben teuer ist, müssen auch sie arbeiten. „sie“ = ______________
f) Sie haben es leichter, attraktive Stellen zu bekommen. „sie“ = ______________
g) Sie sind egoistisch. „sie“ = ______________
h) Ihre Arbeitsstellen bleiben für zwei Jahre frei, wenn sie nicht arbeiten können und die Kinder erziehen. „sie“ = ______________
i) Sie zeigen, was sie denken und fühlen. „sie“ = ______________
j) Sie möchten eigentlich, dass die Frauen nicht berufstätig sind. „sie“ = ______________
k) Der Verstand ist für sie wichtiger als das Herz. „sie“ = ______________
l) Sie verdienen meistens mehr als die Frauen. „sie“ = ______________
m) Sie geben ihren Kindern mehr Freiheiten. „sie“ = ______________
n) Sie zeigen nicht genau, was sie wirklich denken und fühlen. „sie“ = ______________

14. Wie finden Sie Ihre eigenen Landsleute? Was gefällt Ihnen? Was gefällt Ihnen nicht?

Der Kurzkommentar

Immer mehr Deutsche wollen auswandern

Immer mehr Ausländer wollen nach Deutschland einwandern oder beantragen hier politisches Asyl. Die meisten Deutschen sind deshalb für eine Änderung des Ausländer- und Asylgesetzes. Sie glauben, dass es für sie in Zukunft sonst nicht genug Arbeitsstellen und Wohnungen geben wird. Einige möchten sogar die schon länger bei uns lebenden Ausländer wieder nach Hause schicken. Wissen diese Leute nicht, dass auch viele Deutsche gern ein paar Jahre im Ausland leben oder sogar auswandern möchten? Etwa 130 000 haben im letzten Jahr Deutschland verlassen, um im Ausland ein neues Leben zu beginnen. Die Zahlen steigen sogar. Diese Deutschen hoffen genauso auf Gastfreundschaft in ihren neuen Heimatländern wie die Ausländer, die nach Deutschland einreisen möchten oder schon bei uns leben. Das sollten wir bei der Diskussion um ein neues Ausländer- und Asylgesetz nicht vergessen.

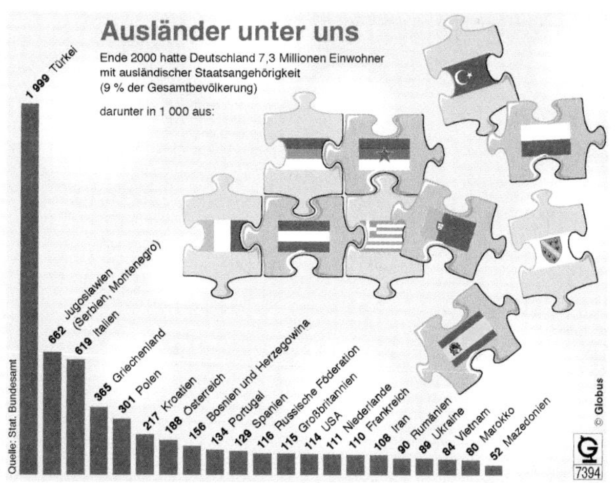
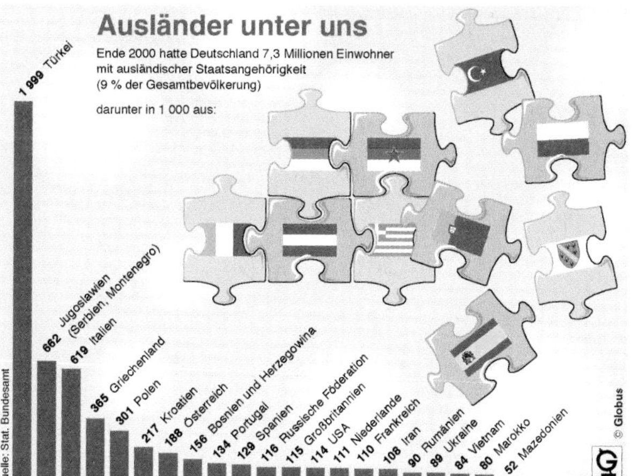

15. Familie Neudel will auswandern.

Hören Sie das Gespräch. Warum möchte Familie Neudel auswandern? Was ist richtig?

Familie Neudel möchte auswandern, ...
a) ... um freier zu leben.
b) ... damit Herr Neudel weniger Steuern zahlen muss und mehr verdient.
c) ... um in Paraguay Bauern zu werden.
d) ... um Land zu kaufen und ein Haus zu bauen.
e) ... damit Frau Neudel eine Stelle bekommt.

16. Familie Kumar ist eingewandert.

Hören sie das Gespräch mit der Familie Kumar. Sie lebt seit 14 Jahren in Deutschland. Warum ist sie eingewandert? Was ist richtig?

Familie Kumar ist eingewandert, ...
a) ... um mehr Geld zu verdienen.
b) ... weil sie Verwandte in Deutschland hat.
c) ... um Deutsche zu werden.
d) ... weil Herr Kumar hier ein Praktikum machen wollte.
e) ... damit die Kinder gute Schulen besuchen können.

17. Vergleichen Sie die beiden Familien.

Was ist ähnlich? Was ist verschieden?

18. Was meinen Sie: Warum wandern Menschen aus?

› § 31

Sie wandern aus, | ... um Arbeit zu bekommen.
... um ... zu ...
... damit die Familie besser leben kann.
... damit ...
... weil sie in Deutschland studieren wollen.
... weil ...

Nebensatz mit „damit“
Sie wandern aus, damit sie Arbeit bekommen.

Urlaubspläne

● Im nächsten Urlaub, da fahr ich nach Bali. Um endlich mal was Neues zu sehen.

■ Bali – sehr schön. Und ich reise in die Karibik, auf eine kleine Insel. Um endlich einmal richtig baden und tauchen zu können.

▲ In die Karibik – Donnerwetter! Und ich mache eine Reise nach Kenia, um endlich mal richtige Löwen und Elefanten zu sehen.

■ Kenia ist nicht schlecht. – Und du, Hans, was hast du vor?

▼ Ich – ich fahre nach Unter-Hengsbach.

● Nach Unter-Hengsbach ...? Wo ist denn das?

▼ Das ist ganz in der Nähe von Ober-Hengsbach.

■ Aha!

▲ Und warum ausgerechnet nach Unter-Hengsbach?

▼ Um endlich meine Ruhe zu haben. Um die Zeit ist es in Unter-Hengsbach herrlich ruhig, weil die Unter-Hengsbacher alle weg sind. Sie sind dann alle auf Bali, in der Karibik oder in Kenia.

LEKTION 8
Schleswig-Holstein
2,8 Mio. Einwohner
Kiel
Mecklenburg-Vorpommern
1,8 Mio. Einwohner
Schwerin
Bremen
0,7 Mio. Einwohner
Hamburg
1,7 Mio. Einwohner
Hannover
Niedersachsen
8 Mio. Einwohner
Grenze zwischen BRD und DDR
von 1949 bis 1990
Berlin
3,4 Mio. Einwohner
Potsdam
Magdeburg
Sachsen-Anhalt
2,6 Mio. Einwohner
Brandenburg
2,6 Mio. Einwohner
Nordrhein-Westfalen
18 Mio. Einwohner
Düsseldorf
Erfurt
Dresden
Thüringen
2,4 Mio. Einwohner
Sachsen
4,4 Mio. Einwohner
Hessen
6 Mio. Einwohner
Wiesbaden
heinland-Pfalz
Einwohner
Mainz
Bayern
12,3 Mio. Einwohner
Saarbrücken
Saarland
1,1 Mio. Einwohner
der Bundesadler
der Bundestagspräsident
Stuttgart
Baden-Württemberg
10,6 Mio. Einwohner
München
die Bundesregierung
(der Bundeskanzler
und die Minister)
DIE
BUNDESREPUBLIK
DEUTSCHLAND

Schlagzeilen + + + Schlagzeilen + + + Schlagzeilen + + + Schlagzeilen + + + Schlagzeilen + + +

NRZ Neue Rhein Zeitung

Bald Wahlrecht für ausländische Arbeitnehmer?

Fußballstar wegen Verletzung drei Wochen ins Krankenhaus

Polnische Zollbeamte streiken für mehr Lohn

Preiskrieg in der Zigarettenindustrie

Kein Geld für das neue Stadion: Fußballverein enttäuscht

Verkehrsunfall in der Berliner Straße

Durch den Steuerskandal: Regierungskrise in Argentinien

WZ Westdeutsche Zeitung

Ärger an der Grenze: 300 Lastwagen müssen warten

Ausländer bald auch im Parlament?

Straßenbahn fuhr gegen einen Bus: Außer dem Fahrer niemand verletzt

Leere Kassen im Rathaus: Kein neuer Sportplatz

Raucher können jetzt sparen

Wegen seiner Knieoperation: Ohne Luziao gegen den HSV

Bald neue Regierung in Buenos Aires?

1. Welche Schlagzeilen bringen die gleiche Nachricht?

Neue Rhein Zeitung	Westdeutsche Zeitung
Preiskrieg in der Zigarettenindustrie	…
Kein Geld …	…

2. Welche Nachrichten gehören zu welcher Rubrik?

Sie lesen heute:

Ausland	Seite	3
Wirtschaft	Seiten	9 / 10
Lokalteil	Seite	7
Innenpolitik	Seite	5
Sport	Seite	14

3. Sehen Sie die Bilder an. Was ist da wohl passiert?

4. Ergänzen Sie „durch", „für", „ohne", „gegen", „außer", „mit" oder „wegen". Zu welchem Bild passen die Sätze?

› § 15

Bild

- ☐ Junge fand Briefumschlag ___ 5000 Euro.
- ☐ Pakete und Päckchen für Weihnachten bleiben ___ des Poststreiks liegen.
- ☐ ___ einem Lebensmittel-Laden und einer Bäckerei gibt es keine Geschäfte. Der neue Stadtteil „Gernhof" ist immer noch ___ Einkaufszentrum.
- ☐ 2000 ausländische Arbeitnehmer demonstrieren ___ das neue Ausländergesetz. Sie wollen in der Bundesrepublik bleiben.
- ☐ Fabrik ___ Feuer zerstört. 500 Angestellte jetzt ___ Arbeit.
- ☐ ___ die Verkehrsprobleme im Stadtzentrum gibt es immer noch keine Lösung.

5. Hören Sie die Interviews.

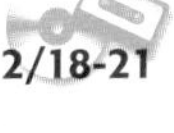

2/18-21

Ein Reporter hat vier Personen interviewt, die von den Ereignissen auf den Bildern erzählen. Welches Bild passt zu welchem Interview?

Interview	1	2	3	4
Bild Nr.	☐	☐	☐	☐

Präpositionen
außer + Dativ
wegen + Genitiv oder Dativ

6. Welche Nachrichten haben Sie heute/gestern gehört oder gelesen?

Machen Sie mit Ihrem Nachbarn aktuelle Schlagzeilen zu Politik, Wirtschaft, Sport, Lokalnachrichten, Klatsch …

Öl-Katastrophe:
Tanker vor spanischem Vogelparadies gestrandet

Mordanschlag in Kabul:
Afghanistans Vizepräsident getötet

Polizei fuhr Braut mit Blaulicht zur Hochzeit

Am Grab:
Rote Rosen für Hildegard Knef

Mehrere Kandidaten für tschechische Präsidentschaft:
Pitharts Wahlchancen gesunken

Mafia-Boss in Palermo verhaftet

Gefangen im Aufzug – die lange Nacht von Sandra und Gerd

Sechs Jahre Freiheitsstrafe:
Auf Probefahrten in Bayern Luxusautos geraubt

Nach 20 Jahren in Deutschland:
Kurdin erkämpft Aufenthalt – Rechtsstreit um Ausweisung gewonnen

› § 16

Wo ist der Friede in Gefahr?
Wo ist Krieg/Bürgerkrieg?
Wo gibt es eine Regierungskrise?
Wo gibt es eine Wahl?
Wo gibt es eine Konferenz?
Welcher Politiker besucht welches Land?
Wer hat einen Vertrag unterschrieben?
Wer ist zurückgetreten?
Wofür fehlt Geld?
Wer streikt? Wo? Warum?

Wo hat es eine Demonstration gegeben?
Wo gibt es Umweltprobleme?
Wo hat es ein Unglück / eine Katastrophe gegeben?
Wo ist ein Verbrechen geschehen?
Wo gibt es einen Skandal?
Wo ist etwas Komisches passiert?
Wer ist gestorben?
Wer hat geheiratet / ein Baby bekommen?
Wer hat eine Meisterschaft gewonnen?

AUS DER PRESSE

Abgeordnete bekommen 1,9 % mehr Geld 1

Berlin (AP) Die 603 Abgeordneten des deutschen Bundestages bekommen ab 1. Januar 1,9 % mehr Gehalt. Das wurde gestern im Bundestag mit großer Mehrheit beschlossen. Nur wenige Abgeordnete kritisierten den Beschluss.

Wahlrecht für Ausländer hat kaum Chancen 2

Berlin (dpa) Eine große Gruppe von Abgeordneten fast aller Parteien fordert ein neues Wahlrecht, damit auch Ausländer, die länger als 10 Jahre in Deutschland leben, wählen dürfen. Der Vorschlag, für den eine Änderung der Verfassung notwendig ist, wird diese Woche im Bundestag diskutiert.

Landtagswahlen in Sachsen-Anhalt 3

Magdeburg (eig. Ber.) Die Christlichen Demokraten (CDU) haben am Sonntag die Landtagswahlen in Sachsen-Anhalt gewonnen. Sie wurden mit 37,3 % der Stimmen stärkste Partei. Die Sozialdemokraten (SPD), die Partei des alten Ministerpräsidenten, bekam nur noch 20,0 %, die Freien Demokraten (FDP) 13,3 % und die PDS (Partei des Demokratischen Sozialismus) 20,4 %.

Bundespräsident zu Staatsbesuch in Spanien 4

Madrid (dpa) Der Bundespräsident ist seit Dienstag zu einem viertägigen Staatsbesuch Spaniens in Madrid. Er wurde im Königlichen Schloss zusammen mit seiner Frau von König Juan Carlos und Königin Sofia begrüßt.

Wirtschaftsminister droht mit Rücktritt 5

Köln In einer Fernsehdiskussion hat der Bundeswirtschaftsminister mit seinem Rücktritt gedroht, wenn das Kabinett nicht bis zum 10. Juli beschließt, in den nächsten beiden Jahren die Subventionen um 15 Milliarden Euro zu kürzen.

Bundesrat kritisiert Reform des Mehrwertsteuergesetzes 6

Berlin Der Bundesrat hat das neue Mehrwertsteuergesetz kritisiert. Die meisten Bundesländer sind mit dem Gesetz nicht einverstanden, weil sie nach ihrer Meinung zu wenig Geld aus der Mehrwertsteuer bekommen.

a

Die schleswig-holsteinische Ministerpräsidentin erklärte im Bundesrat: „Die Geldprobleme der Länder dürfen nicht noch größer werden!“ Jetzt muss der Bundestag einen neuen Vorschlag machen.

b

Die alte Koalition aus SPD und PDS hat damit ihre Mehrheit im Landtag verloren. Der neue Ministerpräsident kommt wahrscheinlich von der CDU, die eine Koalition mit der FDP bilden möchte.

c

Bis jetzt sind die meisten Abgeordneten der Opposition gegen eine Änderung des Wahlgesetzes. Ohne ihre Stimmen aber gibt es keine Zwei-Drittel-Mehrheit für eine Verfassungsänderung. Deshalb müssen die Ausländer auch bei der nächsten Bundestagswahl zu Hause bleiben. Allerdings haben Bürger aus EU-Staaten in einigen Bundesländern schon heute das Wahlrecht für die Kommunalparlamente.

d

„Nur wenn wir selbst sparen, können wir auch von den Bürgern höhere Steuern verlangen“, meinte eine Abgeordnete. Außerdem schlug sie vor, die Zahl der Abgeordneten bei der nächsten Bundestagswahl noch einmal zu verkleinern, und erinnerte an einen Satz des Finanzministers: „Auch 603 Abgeordnete sind immer noch zu viel.“

e

Der Bundespräsident wird vom Bundesaußenminister begleitet, der mit seinem spanischen Kollegen ein längeres Gespräch über europäische und internationale Fragen führte.

f

„Wenn das Ziel nicht erreicht wird, dann hat die Bundesregierung einen neuen Wirtschaftsminister“, sagte er. Der Minister hofft, dass das Kabinett seinem Vorschlag folgt. Die Alternative wären höhere Steuern oder neue Schulden. Der Bundeskanzler kommentierte die Sätze seines Wirtschaftsministers mit den folgenden Worten: „Einen Rücktrittswunsch kann ich auch annehmen.“

7. Setzen Sie die Teile der Zeitungstexte richtig zusammen.

1	2	3	4	5	6

8. Welche Informationen über das politische System in Deutschland bekommen Sie aus den Texten? Was wissen Sie außerdem über die Politik in Deutschland?

Parteien, Wahlen, Bundeskanzler, Minister ...

Das politische Wahlsystem in der Bundesrepublik Deutschland

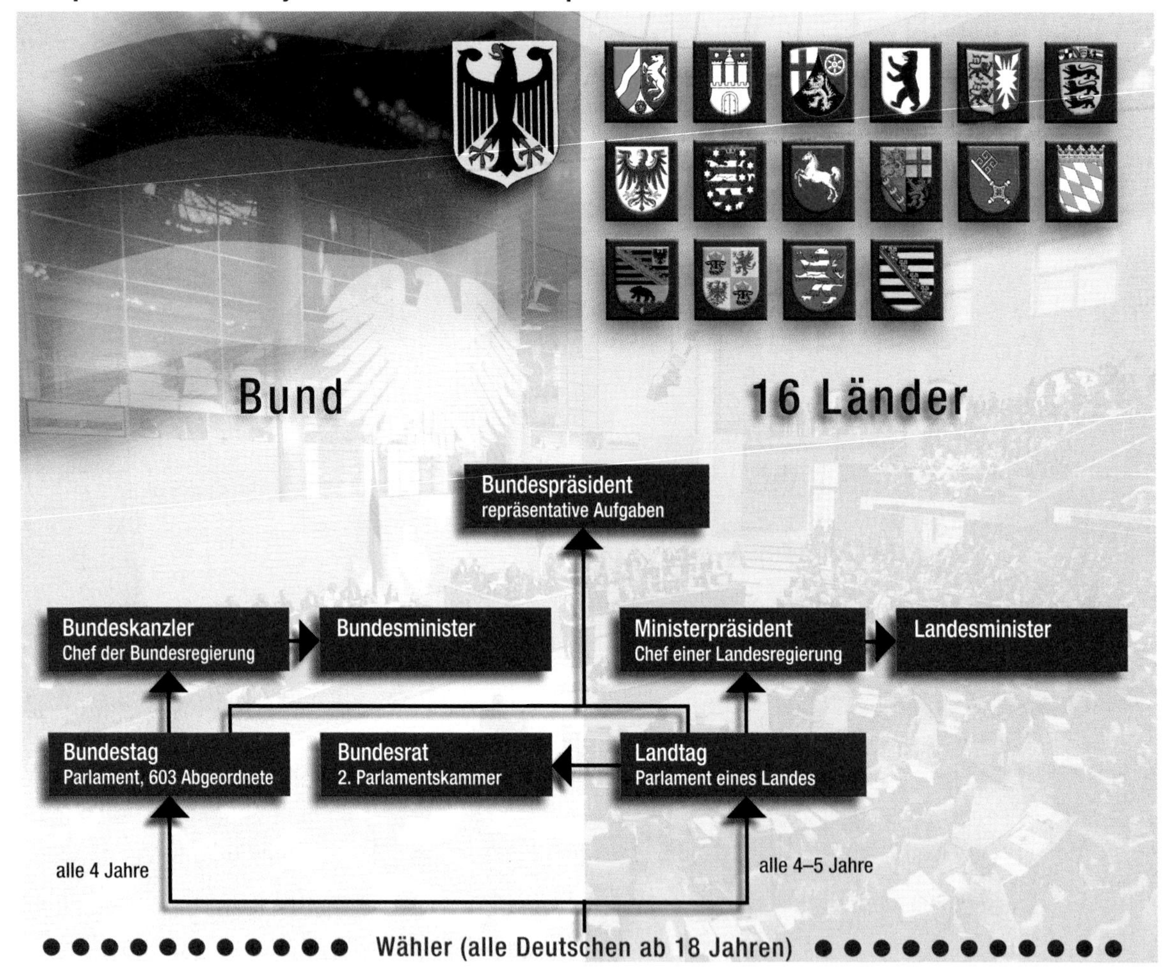

9. Beschreiben Sie die Darstellung. Ergänzen Sie die Sätze.

In der Bundesrepublik Deutschland können alle Frauen und Männer, die über 18 Jahre alt sind, … wählen.
Das nationale Parlament heißt … Bundestag
Es wird alle … 4 Jahre
Der Regierungschef ist der Bundeskanzler
Er wird nicht direkt vom Volk gewählt, sondern von den Abgeordneten des Bundesrat
Der Bundeskanzler bestimmt die Politik und schlägt die … Minister vor.

Alle 4 oder 5 Jahre wählen die Bürger eines Bundeslandes ihr Landesparlament, den … Bundestag
Regierungschef eines Landes ist der …
Auch er wird nicht vom Volk gewählt, sondern … Parlamentskammer Landtag
Er ernennt die … Bundesminister
Der Bundesrat ist die … Parlamentskammer
Die Mitglieder des Bundesrates kommen aus den 16 … Länder

Der Bundespräsident wird von Mitgliedern der Landtage und des … gewählt.
Der Bundespräsident ist der Staatschef, aber er hat nur … repräsentative Aufgaben.

10. Bundestagswahl. Hören Sie die Interviews.

Wie sind die Antworten der Personen? (r = richtig, f = falsch, ? = er/sie weiß es nicht)

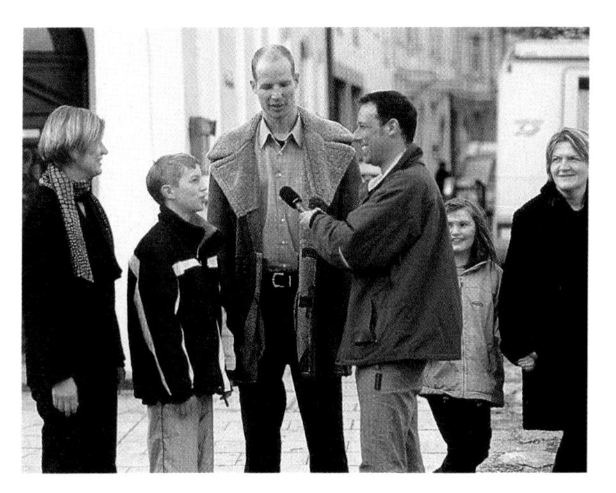

	Mann	Frau	Jugendlicher
Der Bundestag hat 603 Abgeordnete	?	?	r
Der Bundeskanzler ist Regierungschef.	r	r	f
Der Bundeskanzler wird vom Bundestag gewählt.	f	?	r
Der Bundesrat ist die zweite Parlamentskammer	f?	?	r

Politik-Quiz

1. Wann wurde die Bundesrepublik Deutschland gegründet?
   - a 1933
   - b 1949
   - c 1990
2. Nach dem 2. Weltkrieg gab es
   - a zwei deutsche Staaten.
   - b einen deutschen Staat.
   - c drei deutsche Staaten.
3. Heute gibt es
   - a einen deutschen Staat mit der Hauptstadt Berlin.
   - b einen deutschen Staat mit der Hauptstadt Bonn.
   - c zwei deutsche Staaten mit den Hauptstädten Berlin und Bonn.
4. Die Bundesrepublik ist
   - a eine sozialistische Republik.
   - b eine parlamentarische Demokratie.
   - c eine parlamentarische Monarchie.
5. Die beiden größten Parteien in der Bundesrepublik sind
   - a CDU und FDP.
   - b SPD und CSU.
   - c CDU und SPD.
6. Die Politik der CDU nennt man
   - a nationalistisch.
   - b konservativ.
   - c liberal.
7. Die Politik der SPD nennt man
   - a sozialistisch.
   - b sozialökonomisch.
   - c sozialdemokratisch.
8. Der Bundeskanzler der Bundesrepublik heißt
   - a Edmund Stoiber (CSU).
   - b Gerhard Schröder (SPD).
   - c ____________ Angela Merkel

11. Berichten Sie über Ihr Land.

Was für ein Staat ist Ihr Land? (Republik, Monarchie, Demokratie, ...)
Mit welchen anderen Staaten ist Ihr Land befreundet? Mit welchen Staaten hat es Probleme?
Wie heißt das Parlament? Wie oft wird es gewählt? Wie heißen die wichtigsten Parteien?
Was für Ziele haben sie? Gibt es Regionalparlamente? Wer ist der Regierungschef?
Wer wählt oder ernennt ihn? Wer ist der Staatschef?

Als es Deutschland zweimal gab

Konrad Adenauer, der spätere Bundeskanzler, unterschreibt am 23. Mai 1949 das Grundgesetz der Bundesrepublik Deutschland.

1949, vier Jahre nach dem 2. Weltkrieg, gab es zwei deutsche Staaten: Die Deutsche Demokratische Republik (DDR) im Osten und die Bundesrepublik Deutschland im Westen. Obwohl sie eigene Regierungen hatten, waren die beiden Staaten anfangs nicht völlig unabhängig. In der DDR bestimmte die Sowjetunion die Politik, die Bundesrepublik stand unter dem Einfluss von Großbritannien, Frankreich und den USA.

Im März 1952 schlug die Sowjetunion den USA, Großbritannien und Frankreich einen Friedensvertrag für Deutschland vor. Die DDR und die Bundesrepublik sollten zusammen wieder ein selbstständiger deutscher Staat werden, der neutral sein sollte. Aber die West-Alliierten waren gegen diesen Plan. Sie wollten, dass die Bundesrepublik zum Westen gehörte. Ein neutrales Deutschland wäre, so meinten sie, von der Sowjetunion abhängig. Auch die damalige konservativ-liberale Regierung (CDU/CSU/FDP) entschied sich für die Bindung an den Westen.

Nach 1952 wurden die Unterschiede zwischen den beiden deutschen Staaten immer größer. Die DDR und die Bundesrepublik bekamen 1956 wieder eigene Armeen. Die DDR wurde Mitglied im Warschauer Pakt, die Bundesrepublik Mitglied der NATO.

Am 10. Oktober 1949 nimmt die Regierung der Deutschen Demokratischen Republik unter Otto Grotewohl ihre Tätigkeit auf.

Während es in der DDR große wirtschaftliche Probleme gab, entwickelte sich die Wirtschaft in der Bundesrepublik sehr positiv. Tausende Deutsche aus der DDR flüchteten vor allem deshalb in die Bundesrepublik. Die DDR schloss schließlich ihre Grenze zur Bundesrepublik und kontrollierte sie mit Waffengewalt. Durch den Bau der Mauer in Berlin wurde 1961 die letzte Lücke geschlossen.

Während der Zeit des „Kalten Krieges" von 1952 bis 1969 gab es nur Wirtschaftskontakte zwischen den beiden deutschen Staaten. Im Juni 1953 kam es in Ostberlin und anderen Orten der DDR zu Streiks und Demonstrationen gegen die kommunistische Diktatur und die Wirtschaftspolitik. Sowjetische Panzer sorgten wieder für Ruhe.

12. Erstellen Sie eine Zeitleiste.

1949	Es gab zwei deutsche Staaten.	1953	…	Seit 1969	…
1952	Die Sowjetunion schlug …	1956	…	1972	…
1952–1969	…	1961	…	1989	…

In der Bundesrepublik war die große Mehrheit der Bürger für die Politik ihrer Regierung. Ende der sechziger Jahre gab es jedoch starke Proteste und Studentendemonstrationen gegen die kapitalistische Wirtschaftspolitik und die enge Bindung an die USA.

Politische Gespräche wurden zwischen den beiden deutschen Staaten erst seit 1969 geführt. Das war der Beginn der so genannten „Ostpolitik" des damaligen Bundeskanzlers Willy Brandt und seiner sozialdemokratisch-liberalen Regierung. 1972 unterschrieben die DDR und die Bundesrepublik einen „Grundlagenvertrag". Die politischen und wirtschaftlichen Kontakte wurden seit diesem Vertrag besser. Immer mehr Bundesbürger konnten ihre Verwandten in der DDR besuchen; allerdings durften nur wenige DDR-Bürger in den Westen reisen.

Im Herbst 1989 öffnete Ungarn die Grenze zu Österreich. Damit wurde für viele Bürger der DDR die Flucht in die Bundesrepublik möglich. Tausende verließen ihr Land auf diesem Weg. Andere flüchteten in die Botschaften der Bundesrepublik in Warschau und Prag und blieben dort, bis sie die Erlaubnis zur Ausreise in die Bundesrepublik erhielten.

Bald kam es in Leipzig, Dresden und anderen Städten der DDR zu Massendemonstrationen. Zuerst ging es um freie Ausreise in die westlichen Länder, besonders in die Bundesrepublik, um freie Wahlen und freie Wirtschaft. Aber bald wurde der Ruf nach „Wiedervereinigung" immer lauter. Oppositionsgruppen entstanden; in wenigen Wochen verlor die SED, die Sozialistische Einheitspartei Deutschlands, ihre Macht.

Am 3. Oktober 1990 war es soweit: Die DDR trat der Bundesrepublik Deutschland bei. „Ein Staat verabschiedet sich aus der Geschichte", sagte der letzte Ministerpräsident der DDR, Lothar de Maizière (CDU). Am 2. Dezember 1990 fanden die ersten gesamtdeutschen Wahlen statt.

Am 3. Oktober 1990 treten die Länder der DDR nach Artikel 23 des Grundgesetzes der Bundesrepublik Deutschland bei.

Der „Tag der Deutschen Einheit", der vorher an den 17. Juni 1953 erinnerte, wird seit 1990 am 3. Oktober gefeiert.

13. Schreiben Sie einen kleinen Text zur neueren politischen Geschichte Ihres Landes.

- Machen Sie zuerst eine Zeitleiste.
- Wählen Sie nur wenige wichtige Daten.
- Benutzen Sie Wörter wie „dann", „danach", „aber", „deshalb", „trotzdem" …

› § 9, 28

Damals

Am 9. November 1989 öffnete die DDR ihre Grenzen

Ost-Berlin, Donnerstag, den 9. November 1989, 18:55 Uhr: Auf einer Pressekonferenz über das Flüchtlingsproblem sagte ein Sprecher der DDR-Regierung: „Deshalb haben wir uns dazu entschlossen, eine Regelung zu treffen, die es jedem Bürger der DDR möglich macht, über Grenzübergangspunkte der DDR auszureisen." Eine halbe Stunde später konnte jeder DDR-Bürger die Sensation in den Fernsehnachrichten hören: Die Grenzen sind offen! Schon kurze Zeit danach kamen Zehntausende zu den Grenzübergängen, weil sie es nicht glauben konnten. Für einige Stunden gingen sie nach West-Berlin und in die Bundesrepublik. An den Grenzen herrschte Volksfeststimmung. Der Regierende Bürgermeister von West-Berlin sagte: „Heute Nacht sind die Deutschen das glücklichste Volk der Welt!"

2/23-28

14. Hören Sie die Interviews aus der Nacht vom 9. November 1989.

Welche Sätze fassen die Stimmung der Leute damals am besten zusammen?

Die meisten Leute	war	sehr glücklich.
Einige	waren	sehr bewegt.
Eine Frau	wollte	traurig.
Ein Mann	wollten	beinahe ohnmächtig vor Glück.
Keiner	konnte	es noch nicht glauben.
	konnten	den Ku'damm sehen.
		Schaufenster ansehen.
		Sekt trinken.
		wieder zurück in die DDR.
		im Westen bleiben.
		dankbar für den herzlichen Empfang.
		nur ein Bier oder einen Kaffee trinken.
		auf der anderen Seite der Mauer stehen.
		öfter hinüberfahren.
		die Wiedervereinigung Deutschlands.
		eine ökologische Gesellschaft in der DDR aufbauen.
		ihre Arbeit machen und ein bisschen verreisen.

15. Was denken Sie, wenn Sie die Bilder ansehen? Sprechen Sie im Kurs darüber.

Von 1961 bis 1989 flohen über 200 000 Menschen aus der DDR, und rund 410 000 reisten legal aus. Allein im Jahr 1989 kamen dann fast 350 000 Menschen legal oder illegal aus der DDR in die Bundesrepublik. Dies waren die wichtigsten Gründe, warum sie die DDR verließen:

- Sie konnten nicht ins westliche Ausland reisen.
- Sie verdienten zuwenig Geld.
- Sie hatten Probleme mit dem Staat und seinen Behörden.
- Sie fanden das Leben in der DDR langweilig.
- Sie wollten in einer Demokratie leben, in der der Staat nicht alles kontrolliert und man frei seine Meinung sagen kann.
- Sie wollten besser leben als in der DDR.
- Sie wollten zu ihren Verwandten in der Bundesrepublik.
- Sie durften ihren Beruf nicht frei wählen.
- Sie glaubten nicht an die Zukunft des Sozialismus.
- Sie wollten in ihrem Beruf etwas Neues machen.

16. Hören Sie das Gespräch mit Dieter Karmann.

2/29

Das ist Dieter Karmann (44). Er ist Fotograf und Buchautor.
Bis 1989 lebte er in der DDR. Dann kam er in die Bundesrepublik.
Jetzt wohnt er in Norddeutschland.

a) Warum ist er in die Bundesrepublik gekommen?
b) Wie hat er das geschafft?
c) Worüber hat er sich geärgert? Warum?

2/30

Ein klares Programm

Hase Herr Minister – seit Monaten hat es nicht mehr geregnet, die Felder und Wiesen sind ausgetrocknet. Was werden Sie dagegen tun, wenn Sie die Wahlen gewinnen?

Wolf Also, dass wir die Wahlen gewinnen, ist für mich überhaupt keine Frage. Die letzten Umfragen zeigen ja eindeutig, dass der Wähler uns vertraut.

Hase Gut, aber was wollen Sie gegen die Trockenheit machen?

Wolf Im Unterschied zur Opposition, die ganz offensichtlich ratlos ist, haben wir uns Gedanken gemacht, und wir werden die drängenden Fragen der Gesellschaft mit aller Entschiedenheit in Angriff nehmen.

Hase Und wie werden Sie diese Trockenheit bekämpfen – ich meine, ganz konkret?

Wolf Wir wissen sehr gut, dass es so nicht weitergehen kann, und wir sind uns unserer Verantwortung voll und ganz bewusst. Im Übrigen sind wir Realisten und keine Träumer.

Hase Ich meine – haben Sie schon konkrete Maßnahmen ins Auge gefasst?

Wolf Meine Freunde und ich stimmen darin überein, dass wir diese und andere Probleme nur mit großer Entschlossenheit lösen können – und zwar im Auftrag der Wähler.

Hase Eine letzte Frage, Herr Minister: Leiden Sie persönlich unter der Trockenheit?

Wolf Ich bin persönlich der Meinung, dass wir alles, was den Bürger bedrückt, ernst nehmen müssen. Sehr ernst.

Hase Herr Minister – ich danke Ihnen für dieses Gespräch.

ALTE MENSCHEN

Jung und Alt unter einem Dach?

Lesen Sie, was unsere Leser zu diesem Thema schreiben.

Eva Simmet, 32 Jahre

Wir wohnen seit vier Jahren mit meiner Mutter zusammen, weil mein Vater gestorben ist. Sie kann sich überhaupt nicht mehr anziehen und ausziehen, ich muss sie waschen und ihr das Essen bringen. Deshalb musste ich vor zwei Jahren aufhören zu arbeiten. Ich habe oft Streit mit meinem Mann, weil er sich jeden Tag über Mutter ärgert. Wir möchten sie schon lange in ein Altersheim bringen, aber wir finden keinen Platz für sie. Ich glaube, unsere Ehe ist bald kaputt.

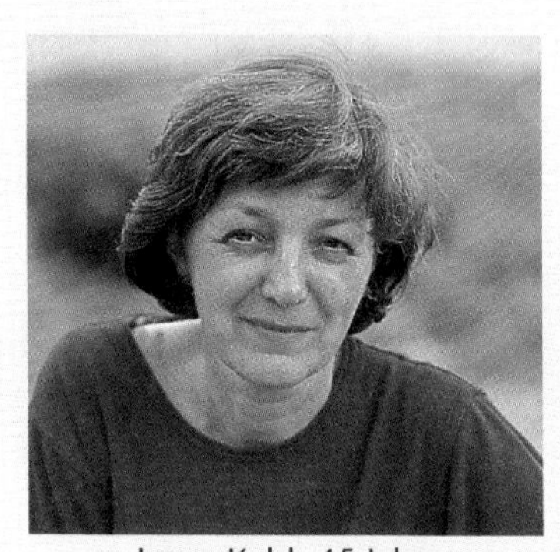

Irene Kahl, 45 Jahre

Viele alte Leute sind enttäuscht, wenn sie alt sind und allein bleiben müssen. Muss man seinen Eltern nicht danken für alles, was sie getan haben? Manche Familien wären glücklich, wenn sie noch Großeltern hätten. Die alten Leute können im Haus und im Garten arbeiten, den Kindern bei den Schulaufgaben helfen, ihnen Märchen erzählen oder mit ihnen ins Kino oder in den Zoo gehen. Die Kinder freuen sich darüber, und die Eltern haben dann auch mal Zeit für sich selber.

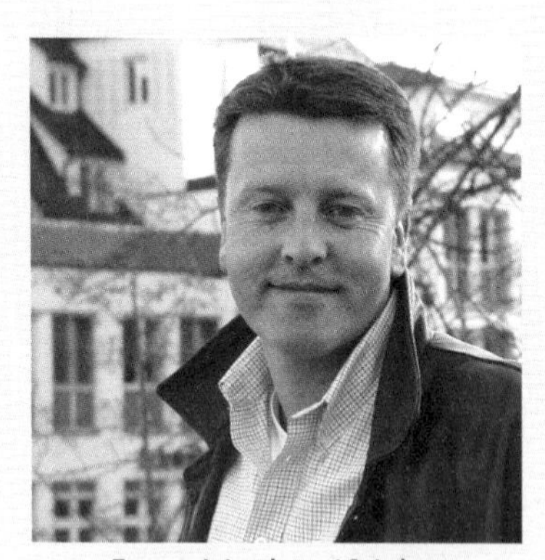

Franz Meuler, 42 Jahre

Wir freuen uns, dass wir mit den Großeltern zusammen wohnen können. Unsere Kinder wären sehr traurig, wenn Oma und Opa nicht mehr da wären. Und die Großeltern fühlen sich durch die Kinder wieder jung. Natürlich gibt es auch manchmal Probleme, aber wir würden die Eltern nie ins Altersheim schicken. Sie gehören doch zu uns. Die alten Leute, die im Altersheim leben müssen, sind oft so unglücklich, weil niemand sie besucht und niemand ihnen zuhört, wenn sie Probleme haben.

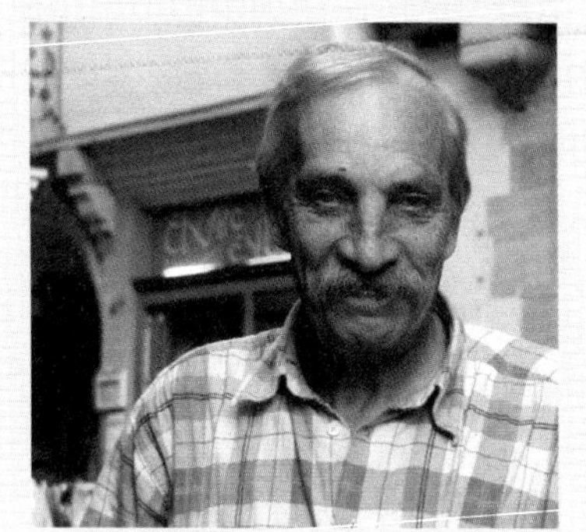

Wilhelm Preuß, 74 Jahre

Seit meine Frau tot ist, lebe ich ganz allein. Ich möchte auch gar nicht bei meiner Tochter in Stuttgart wohnen; ich würde sie und ihre Familie nur stören. Zum Glück kann ich mir noch ganz gut helfen. Ich wasche mir meine Wäsche, gehe einkaufen und koche mir mein Essen. Natürlich bin ich viel allein, aber ich will mich nicht beschweren. Meine Tochter schreibt mir oft Briefe und besucht mich, wenn sie Zeit hat. Ich wünsche mir nur, dass ich gesund bleibe und nie ins Altersheim muss.

Unser Diskussionsthema für nächste Woche:

Wann darf ein Kind allein in den Urlaub fahren?

Schreiben Sie uns Ihre Meinung und schicken Sie ein Foto mit.

1. Wer meint was?

	Herr	Frau
a) Alte Leute und Kinder können nicht gut zusammenleben.		
b) Probleme mit den Großeltern sind nicht schlimm.		
c) Alte Leute sollen nicht allein bleiben.		✓
d) Alte Leute stören oft in der Familie.		✓
e) Alte Leute gehören ins Altersheim.		✓
f) Großeltern können viel für die Kinder tun.		✓
g) Es ist schwierig, mit alten Leuten zusammen zu wohnen.		✓
h) Großeltern gehören zur Familie.	✓	
i) Manche Familien sind ohne Großeltern traurig.	✓	

2. Was schreibt Herr Preuß? Erzählen Sie.

Erzählen Sie auch, was die anderen Personen sagen.

Reflexivpronomen

Ich	ärgere	**mich**.	*Akkusativ*
Er/Sie	ärgert	**sich**.	

(sich ausziehen, waschen, beschweren, unterhalten, jung fühlen)

Ich	helfe	**mir**.	*Dativ*
Er/Sie	hilft	**sich**.	

(sich wünschen, Essen kochen, Haare waschen)

› § 10

3. Sollen Großeltern, Eltern und Kinder zusammen in einem Haus leben?

Was meinen Sie? Diskutieren Sie im Kurs.

Ja,	weil …	das Familienleben stören	nicht allein sein
Nein,	wenn …	für die Kinder wichtig sein	krank sein
	obwohl …	mit den Kindern spielen	aktiv sein
	aber …	Platz im Haus haben	gesund sein
		die Eltern lieben	Streit bekommen
		Probleme bekommen	weiterarbeiten
		den Kindern helfen	sich jung fühlen

4. Wohnen bei den Kindern oder im Altersheim? Welche Alternativen gibt es noch für alte Menschen? Diskutieren Sie Vor- und Nachteile.

Wohngemeinschaft – Altenwohnung – Altensiedlung – Wohnung in der Nähe von Angehörigen …

Ein schöner Lebensabend

Im Seniorenheim „Abendfrieden" in einem Vorort von Stuttgart wird dieser Wunsch wahr. In hellen, freundlichen Kleinappartements (ab 1200 Euro/Monat), zum Teil mit Balkon, können unsere Pensionäre sich so einrichten, wie sie gern möchten – mit ihren eigenen Möbeln. Allein ist man bei uns nur dann, wenn man allein sein möchte. Eine Krankenschwester und ein Arzt sind immer da, wenn Hilfe gebraucht wird. Wir helfen Ihnen, wenn Sie sich nicht mehr selbst helfen können.

Pflege in Ein- und Zweibettzimmern ab € 75/Tag

Schreiben Sie für nähere Informationen an:

Seniorenheim „Abendfrieden",
Sekretariat
Friedrichstraße 7, 70174 Stuttgart

»Haus Schlosspension«

Privates Alten- und Pflegeheim

Wir sind immer für Sie da!

Unser Haus liegt ruhig in der Stadtmitte von Idar-Oberstein. Wir betreuen, pflegen und versorgen alte und kranke Menschen in einer angenehmen, wohnlichen Atmosphäre. Unsere Zimmer sind groß und haben alle ein Bad, eine Toilette, einen Balkon und ein Telefon.

Bitte informieren Sie sich:
»Haus Schlosspension«
Nordtorstraße 9
55743 Idar-Oberstein
Tel. 06781/22439
täglich 9–18 Uhr

Johanneshaus — Altenheim der evangelischen Kirche

Gemeinschaft – Sicherheit – Pflege bietet der Aufenthalt im Senioren- und Pflegeheim „Johanneshaus" in Saarbrücken. Es liegt ruhig am Stadtrand, aber trotzdem nur 15 Busminuten von der City.

Die Bewohner leben in hellen, speziell für alte Leute eingerichteten 1- u. 2-Bett-Zimmern (Pflege) oder Appartements mit eigener Dusche und WC, Telefon und TV-Anschluss. Das Haus hat alle Einrichtungen für eine moderne Pflege und bietet viele Freizeitmöglichkeiten (Vorträge, Videofilme, gemeinsame Busfahrten und Ausflüge, Bibliothek, Hobbyräume und sogar ein kleines Schwimmbad). Das Haus ist offen für Privatzahler und für Personen, deren Kosten von der Pflegeversicherung oder vom Sozialamt bezahlt werden. Auch wenn Sie noch keine Pflege brauchen, können Sie in unserem Haus wohnen und sich selbst versorgen.

Wenn Sie Interesse haben, rufen Sie uns an. Wir haben Zeit, uns mit Ihnen über ihre Wünsche und Probleme zu unterhalten.

Senioren- und Pflegeheim „Johanneshaus"
Theodor-Heuss-Straße 120 · 66133 Saarbrücken
Telefon: (02302) 8 59 80

5. Was bieten die Altenheime?

a) Seniorenheim „Abendfrieden":	Das Heim hat ... / Es gibt ...
b) „Haus Schlosspension":	Die Pensionäre wohnen in ...
c) „Johanneshaus":	Die Pensionäre können ...

6. Welches Altenheim finden Sie am besten? Warum?

Was fehlt Ihrer Meinung nach in den Altenheimen? Wie stellen Sie sich ein ideales Altenheim vor?

Wohnungen für Ehepaare – Veranstaltungen – Freizeitmöglichkeiten – Lage – Kosten – gemeinsame Reisen – Sport – Hobbyräume – Küche – Tanz – Kontakte zu jungen Leuten

Gruppenarbeit: Diskutieren Sie die Bedingungen für ein ideales Altenheim.

2/31

7. Seniorentreffen

Hören Sie die Gespräche von der Kassette und notieren Sie die Angaben zu jeder der vier Personen.

a) Wie alt sind die drei Rentner und die Rentnerin?
b) Welchen Beruf hatten die Personen früher?
c) In welchem Alter haben sie aufgehört zu arbeiten?
d) Wie viel Rente bekommen sie im Monat?
e) Wohnen sie im Altersheim, bei ihren Kindern oder in einer eigenen Wohnung?
f) Sind sie verheiratet, ledig oder verwitwet?

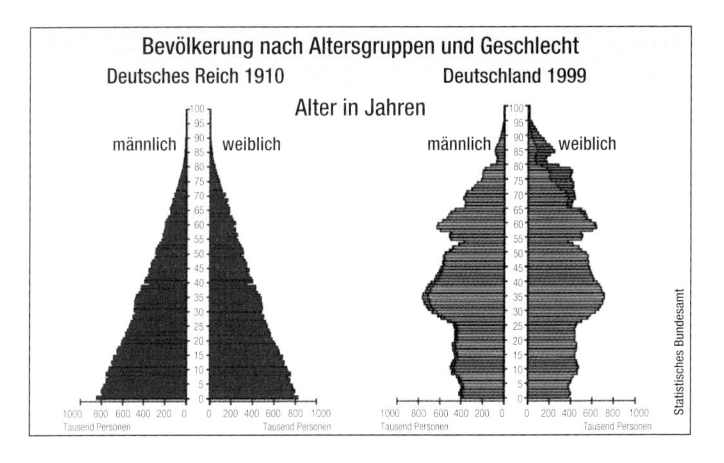

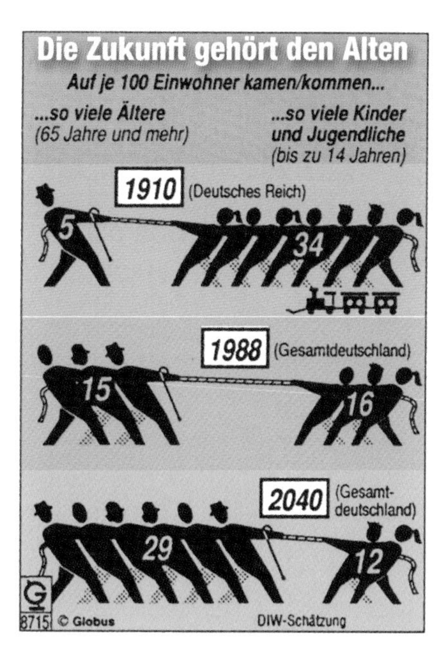

› § 8

8. Was sagen die Statistiken aus?

- 1910 gab es mehr junge Leute als alte.
- 1910 war die Mehrheit der Bevölkerung über 60.
- 1999 gab es fast genauso viele 60-Jährige wie 40-Jährige.
- 1999 gab es bei den 80-Jährigen mehr Frauen als Männer.
- 1988 waren 15% der Bevölkerung älter als 65 Jahre.
- 1988 waren nur 16% der Bevölkerung älter als 14 Jahre.
- 2040 ist die Mehrheit der Bevölkerung über 65 Jahre.
- 2040 gibt es mehr alte Leute als Jugendliche und Kinder.

9. Was meinen Sie: Welche Probleme und Konsequenzen kann es geben, wenn es in einer Gesellschaft immer mehr alte Menschen gibt?

Die Politik wird stärker von alten Menschen	bieten, ...
Die Finanzprobleme der Rentenversicherung	geben, ...
Man muss mehr besondere Wohnungen für alte Leute	arbeiten, ...
Wenn sie können, müssen alte Leute auch mit 70 noch	werden größer, ...
Die Industrie muss mehr besondere Artikel für alte Leute	bestimmt, ...
Man muss mehr Altenheime	steigen, ...
Die Kosten für die Krankenversicherung	bauen, ...
Es muss mehr Pflegepersonal	produzieren, ...
Industrie und Handel müssen mehr besondere Arbeitsplätze für alte Leute	

... weil	alte Leute häufiger krank sind.
	viele alte Leute sich nicht mehr selbst versorgen können.
	sie bei Wahlen mehr Stimmen als früher haben.
	alte Leute andere Wünsche und Bedürfnisse haben.
	sie nicht mehr so schwer und so schnell arbeiten können.
	es nicht genug junge Arbeitskräfte gibt.
	viele alte Leute nicht im Altenheim wohnen möchten.
	immer mehr Leute eine Rente bekommen.

Welche Probleme/Konsequenzen fallen Ihnen noch ein?
Welche Lösungen sehen Sie?

Endlich ist mein Mann zu Hause

Herr Bauer, 64, war Möbelschreiner. Vor einem Jahr ist er in Rente gegangen. Was tut ein Mann, wenn er endlich nicht mehr arbeiten muss? Er wird Chef im Haus, wo vorher die Frau regierte. Wie das aussieht, erzählt (nicht ganz ernst) Frau Bauer.

So lebte ich, bevor mein Mann Rentner wurde: Neben dem Haushalt hatte ich viel Zeit zum Lesen, Klavierspielen und für alle anderen Dinge, die Spaß machen. Mit meinem alten Auto (extra für mich) fühlte ich mich frei. Ich konnte damit schnell ins Schwimmbad, in die Stadt zum Einkaufen oder zu einer Freundin fahren.

Heute ist das alles anders: Wir haben natürlich nur noch ein Auto. Denn mein Mann meint, wir müssen jetzt sparen, weil wir weniger Geld haben. Deshalb bleibt das Auto auch meistens in der Garage. Meine Einkäufe mache ich jetzt mit dem Fahrrad oder zu Fuß. Ziemlich anstrengend, finde ich. Aber gesund, meint mein Mann. In der Küche muss ich mich beeilen, weil das Mittagessen um 12 Uhr fertig sein muss. Ich habe nur noch selten Zeit, morgens die Zeitung zu lesen. Das macht jetzt mein Mann. Während er schläft, backe ich nach dem Mittagessen noch einen Kuchen (mein Mann findet den Kuchen aus der Bäckerei zu teuer) und räume die Küche auf.

Weil ihm als Rentner seine Arbeit fehlt, sucht er jetzt immer welche. Er schneidet die Anzeigen der Supermärkte aus der Zeitung aus und schreibt auf einen Zettel, wo ich was am billigsten kaufen kann. Und als alter Handwerker repariert er natürlich ständig etwas: letzte Woche einen alten Elektroofen und fünf Steckdosen. Oder er arbeitet im Hof und baut Holzregale für das Gästezimmer unter dem Dach. Ich finde das eigentlich ganz gut. Aber leider braucht er wie in seinem alten Beruf einen Assistenten, der tun muss, was er sagt. Dieser Assistent bin jetzt ich. Den ganzen Tag höre ich: „Wo ist ...?", „Wo hast du ...?", „Komm doch mal!", "Wo bist du denn?" Immer muss ich etwas für ihn tun. Eine Arbeit muss der Rentner haben!

10. So sieht Frau Bauer die neue Situation.

Was glauben Sie: Was würde wohl Herr Bauer schreiben? Worüber ärgert er sich? Worüber regt er sich auf?

11. „Immer will er etwas!"

Personalpronomen
Bringst du **es** mir?
Bringst du mir **das**?
Definitpronomen

Öl Pflaster Farbe Lampe Bürste Bleistift Holz
Papier Kugelschreiber Seife Zigaretten Brille Messer

bringen
suchen
holen
geben

› § 33

12. Kennen Sie auch alte Leute? (Großmutter, Großvater, Nachbarin, Vermieter, ...)

Wie leben sie? Was machen sie?

morgens
mittags
nachmittags
abends
jeden Tag
immer
gewöhnlich
manchmal
meistens
oft

im Garten arbeiten allein sein noch arbeiten auf die Kinder aufpassen
den Kindern helfen im Internet surfen immer zu Hause bleiben
Briefe schreiben lesen sich unterhalten in einem ...Verein sein
Karten spielen viel schlafen viel reisen Verwandte besuchen
telefonieren viel Besuch haben sich mit | Freunden / Bekannten | treffen
Spaziergänge machen Musik hören

DIE »EISERNEN«

Viele Paare feiern nach 25 Ehejahren die „silberne Hochzeit", nur noch wenige nach 50 Jahren die „goldene Hochzeit". Und ganz wenige Glückliche können nach 65 gemeinsam erlebten Jahren die „eiserne Hochzeit" feiern. Unser Reporter hat drei „eiserne Paare" besucht und mit ihnen gesprochen.

„Liebe Ilona! Glaube mir, ich liebe immer nur Dich. Dein Xaver." Das hat Xaver Dengler vor langer Zeit seiner späteren Frau auf einer Postkarte geschrieben. Die „Liebe für immer" haben schon viele Männer versprochen, aber Xaver Dengler ist nach 70 Jahren wirklich noch mit seiner Ilona zusammen. Sie sitzen in ihrer Drei-Zimmer-Wohnung und lesen ihre alten Liebesbriefe. „Ich hätte keinen anderen Mann geheiratet", sagt Ilona. „Und ich keine andere Frau", sagt Xaver. Als sie sich kennen lernten, war sie 16 Jahre alt und er 18. „Das war so", erzählt Frau Dengler, „meine Schwester und ich konnten schön singen. Wir haben im Garten vor unserem Haus gesessen. Da ist der Xaver mit einem Freund vorbeigekommen. Sie haben zugehört, wie wir gesungen haben, und dann haben sie gefragt, ob sie sich zu uns setzen dürfen. So hat alles angefangen." „Ja, das ist wahr", sagt er und lacht, „aber mich habt ihr nie mitsingen lassen." Als sie 1936 heirateten, war das erste Kind schon da. „Die Leute im Dorf haben natürlich geredet, aber meine Familie hat es Gott sei Dank akzeptiert. Xaver war damals noch in der Ausbildung. Wir mussten warten, bis er sein erstes Geld verdiente und wir uns eine kleine Wohnung leisten konnten", erzählt Frau Dengler. „Ganz so ungewöhnlich war das damals wohl nicht", meint Herr Dengler. „Die Leute haben es schon verstanden. Nur, geredet haben sie trotzdem."

70 gemeinsame Jahre – waren Ilona und Xaver das ideale Ehepaar? Eine Traumehe war es wohl nicht. „Er ist jeden Sonntag in die Berge zum Wandern gegangen, und ich war allein zu Hause mit den Kindern. Beim Wandern waren auch Mädchen dabei, das habe ich gewusst. Da habe ich mich manchmal geärgert. Ob er eine Freundin hatte, weiß ich nicht. Ich habe ihn nie gefragt." Xaver: „Ich hätte es dir auch nicht gesagt. Aber wir beide haben uns doch immer gern gehabt." Streit haben sie nie gehabt, sagen Xaver und Ilona. Nur einmal, aber das war schnell vorbei. „Ja, du warst immer ein guter Mann, Xaver", sagt Ilona. Was kann man sich noch erzählen, wenn man schon 65 Jahre verheiratet ist? Für die Denglers ist das offenbar kein Problem. Ihre Tochter, die bei ihnen wohnt, hört die alten Leute im Bett oft noch stundenlang reden.

In einem Hamburger „Tanzsalon" haben sie sich 1927 kennen gelernt und dann sehr bald geheiratet: Marianna und Adolf Jancik. Als Schlosser hatte er damals nur einen kleinen Wochenlohn. „Wenn du deine Arbeit hast, dein Essen und Trinken: Was soll da schwierig sein?", sagt der 93-jährige im Rückblick auf seine lange Ehe. Seine 90-jährige Frau ist stolz auf ihren Eherekord: „70 Jahre lang jeden Tag Essen kochen – das soll mir erst einer nachmachen!" Das Erinnerungsfoto stammt von der goldenen Hochzeit der beiden.

„Bei uns kann man wirklich sagen, es war Liebe auf den ersten Blick", meint Heinrich Rose. Als er und seine spätere Frau Margarethe sich im Jahr 1932 verlobten, war er noch Student. Zwei Jahre später, bei der Hochzeit, arbeitete er schon als Jurist.

So gut er kann, hilft der 88-jährige seiner 87-jährigen Frau im Haushalt. Seine Liebeserklärung heute: „Ich würd' dich noch mal heiraten, bestimmt ..." Die längste Zeit der Trennung in über 60 Ehejahren? „Sieben Tage warst du einmal allein verreist", sagt sie, „eine schreckliche Woche!"

13. Was sagen die alten Leute?

a) über ihre Ehepartner? b) über ihre Ehe? c) über ihr gemeinsames Leben?

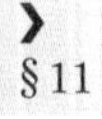
› § 11

14. Was steht im Text über Xaver und Ilona?

Erzählen Sie im Kurs. Hier sind Stichworte.

schon über 70 Jahre – immer noch – Alter, als sie sich kennen lernten – wie kennen gelernt? – Kind schon vor der Ehe – Traumehe? – Wochenende allein – Freundin – Streit – sich viel erzählen …

Xaver und Ilona haben sich vor 70 Jahren kennen gelernt. Jetzt sind sie …

15. Kürzen Sie den Text über Xaver und Ilona.

Kürzen Sie den Text so, dass er nicht länger ist als die Texte zu den beiden anderen Paaren.

Reziprokpronomen
Er lernt sie kennen. Sie lernt ihn kennen.
Sie lernen **sich** kennen.

16. Auch eine Liebesgeschichte

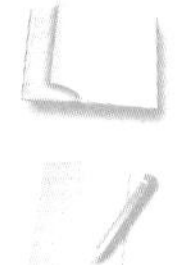

Ich bin 65 Jahre alt und fühle mich seit dem Tod meiner Frau sehr einsam. Welche liebe Dame (Nichtraucherin) möchte sich einmal mit mir treffen? Ich bin ein guter Tänzer, wandere gern und habe ein schönes Haus im Grünen. Tel. 77 53 75

Erzählen Sie die Liebesgeschichte. Verwenden Sie folgende Wörter.

Am Anfang	Deshalb	Später
Schließlich	Am Schluss	Dann

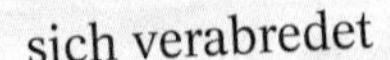

- sich verabredet
- sich verlobt
- sich besucht – sich verliebt
- sich beim Tanzen getroffen
- sich gestritten
- sich nicht mehr geliebt

Die Rentner-Band von Ludwigshafen

Hans Staiger (66) gewinnt Volkslauf in Hillegossen

Pensionär gründet Motorrad-Museum

Eine Großmutter für 5 Euro pro Stunde

Die Reisen des Rentners Emil Kranz

Nach der Pensionierung: Als Sozialarbeiter in Afrika

Kochen wie zu Großmutters Zeiten:
Rentnerin organisiert Kochkurse für junge Frauen

Statt Altersheim: Mit 70 in die Wohngemeinschaft

17. Hören Sie das Interview.

2/32

a) Welche Schlagzeile passt zu dem Interview?
b) Sind die folgenden Aussagen richtig *r* oder falsch *f* ?

- Frau Heidenreich ist 69 Jahre alt.
- Sie war früher Ärztin von Beruf.
- Vor zwei Jahren hat sie einen Verein für Leihgroßmütter gegründet.
- Das bedeutet, sie vermittelt ältere Damen an Familien, die eine Hilfe für die Hausarbeit brauchen.
- Der Verein antwortet auf Anzeigen, die von jungen Familien aufgegeben werden.
- Der Verein hat 27 Mitglieder.
- Die alten Damen sind zwischen 62 und 77 Jahre alt.
- Frau Heidenreich hat früher einen kleinen Jungen aus der Nachbarschaft betreut.
- Die Nachbarsfamilie ist später nach Hamburg umgezogen.
- Frau Heidenreich hat die Idee zu dem Verein zuerst mit ihren Freundinnen besprochen.
- Die jungen Eltern kommen zum Verein und suchen sich eine Leihgroßmutter aus.
- Der Verein bekommt von den Familien eine einmalige Vermittlungsgebühr.
- Die Vereinsmitglieder möchten mit ihrer Tätigkeit vor allen Dingen Geld verdienen.
- Ein Mitglied des Vereins ist inzwischen ganz zu der Familie gezogen, bei der sie vorher Leihgroßmutter war.
- Wenn es Probleme gibt, werden sie gemeinsam im Verein besprochen.

c) Korrigieren Sie die falschen Aussagen.
d) Schreiben Sie einen Zeitungsartikel über Frau Heidenreich und ihren Verein.

18. Haben Sie schon Wünsche oder Ideen für Ihr eigenes Alter?

2/33

- ● Schau nur, Otto, da drüben, die jungen Leute!
- ■ Wo …? Ach, du meinst das Pärchen, das gerade zu uns rüberschaut?
- ● Was glaubst du, was die jetzt denken?
- ■ Weiß ich nicht, ist mir auch völlig egal.
- ● Sicher denken sie: „Die in ihrem Alter, dass die sich nicht schämen."
- ■ Schämst du dich, mein Schäfchen?
- ● Nein, mein kleiner Humpelbock, im Gegenteil. Ich freue mich.
- ■ Ich auch. Mein Gott, nie wieder möchte ich so jung sein!
- ● Ich auch nicht, um keinen Preis. Dieses schreckliche Theater mit der so genannten Liebe …
- ■ Ja, sie können einem Leid tun, die jungen Leute!
- ● Siehst du, jetzt stehen sie auf und gehen fort.
- ■ Sicher hat er gesagt, dass er nicht versteht, warum sie gestern in der Disko ständig mit dem Bob getanzt hat.
- ● Und sie hat gesagt, dass sie nicht versteht, warum er das dem Bob erlaubt hat.
- ■ Und so weiter …
- ● Und so weiter …
- ■ Wie gut, dass wir nicht mehr in die Disko gehen!
- ● Sondern an Weihnachten nach Bali fliegen.
- ■ Wie wär's mit einem Kuss?
- ● Tut man das in unserem Alter? Und in aller Öffentlichkeit?
- ■ Natürlich nicht. Deswegen ist es ja auch so schön!

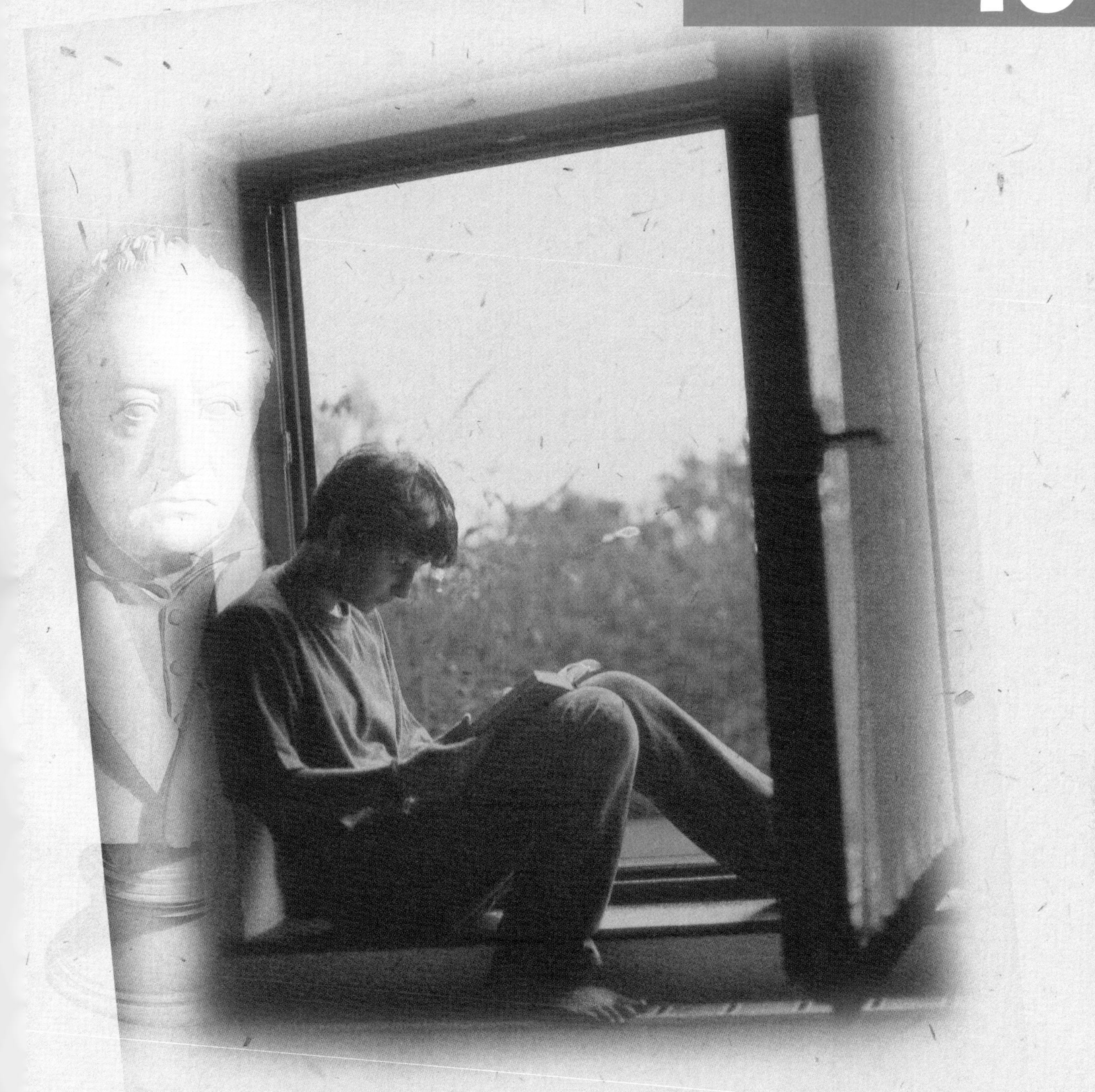

s Sachbuch das Lexikon das Kochbuch

r Krimi die Zeitschrift

BÜCHER LESEN

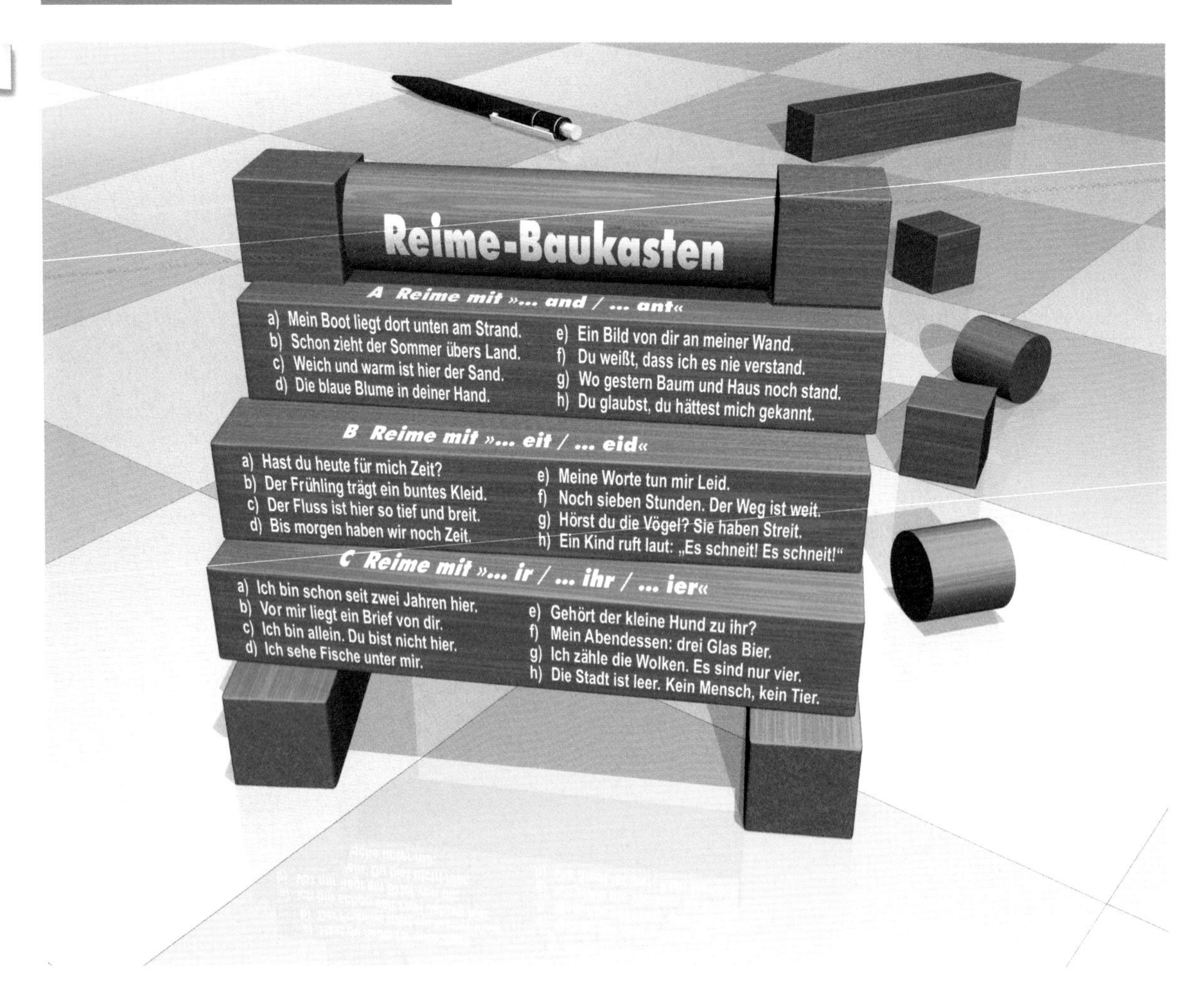

1. Machen Sie aus den Sätzen kleine Gedichte.

Finden Sie auch einen Titel. Zum Beispiel:

Allein im Sommer
Vor mir liegt ein Brief von dir.
Du glaubst, du hättest mich gekannt.
Ich zähle die Wolken. Es sind nur vier.
Schon zieht der Sommer übers Land.

2. Sie können die Reime auch anders ordnen.

Zum Beispiel:

... Land		... Land		... Wand
... Wand	oder	... hier	oder	... stand
... hier		... vier		... Hand
... vier		... Wand		... Sand

3. Wenn Sie möchten, können Sie die Sätze verändern.

Zum Beispiel:

Mein Haus steht dort unten am Strand.
Ich liege mit dir am Strand.
Kommst du mit an den Strand?
...

4. Machen Sie selbst auch neue Reime.

Zum Beispiel mit:
... Mai
... frei
... vorbei
... zwei
... drei
...

Herbsttag

(...)
Wer jetzt kein Haus hat, baut sich keines mehr.
Wer jetzt allein ist, wird es lange bleiben,
wird wachen, lesen, lange Briefe schreiben
und wird in den Alleen hin und her
unruhig wandern, wenn die Blätter treiben.
(...)

Rainer Maria Rilke (1875–1926)

(...)
Im wunderschönen Monat Mai,
Als alle Knospen sprangen,
Da ist in meinem Herzen
die Liebe aufgegangen.

Im wunderschönen Monat Mai,
Als alle Vögel sangen,
Da hab ich ihr gestanden
Mein Sehnen und Verlangen.
(...)

Heinrich Heine (1797–1856)

Der Rauch

Das kleine Haus unter Bäumen am See.
Vom Dach steigt Rauch.
Fehlte er
Wie trostlos dann wären
Haus, Bäume und See.

Bertolt Brecht (1898–1956)

Vergänglichkeit

(...)
Vom Baum des Lebens fällt
Mir Blatt um Blatt
O taumelbunte Welt,
Wie machst du satt.
Wie machst du satt und müd,
Wie machst du trunken!
(...)

Hermann Hesse (1877–1962)

Lied des Harfenmädchens

(...)
Heute, nur heute
Bin ich so schön;
Morgen, ach morgen
Muss alles vergehn!
Nur diese Stunde
Bist du noch mein;
Sterben, ach sterben
Soll ich allein.
(...)

Theodor Storm (1817–1888)

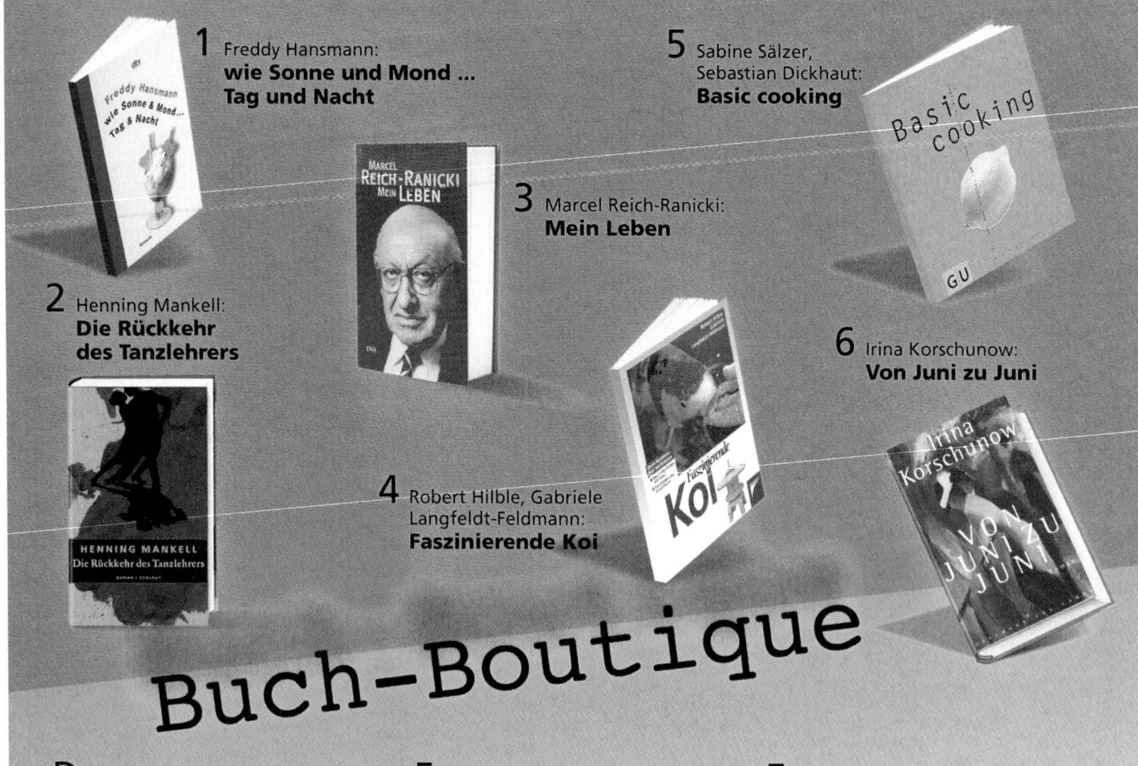

Buch-Boutique

Die 16-jährige Lene hat wegen einer Krankheit ihre Haare verloren und wird deshalb von ihren Eltern in eine psychologische Gruppe geschickt. Dort lernt sie Jugendliche kennen, die viel schlimmere Probleme haben als sie selbst. Lene macht in dieser Zeit auch ihre ersten sexuellen Erfahrungen. Doch ihr Freund und sie sind so verschieden wie Sonne und Mond.

Welcher Fisch im Gartenteich frisst aus der Hand und lässt sich streicheln? Ein Koi tut das, wenn er sich an seinen Besitzer gewöhnt hat. Kein Wunder, dass die schönen japanischen Fische wie Haustiere geliebt werden. Allerdings sind Koi sehr empfindlich und stellen hohe Ansprüche an die Wasserqualität. Ein nützliches Buch für alle, die Koi halten möchten.

Ein ehemaliger Polizist wird in seinem einsamen Haus grausam ermordet. Liegt das Motiv in seiner nationalsozialistischen Vergangenheit? Wie immer bietet der Autor Spannung, brisante Themen und einen Kommissar, der mit sich selbst große Probleme hat. Nach Mankells Romanen wurden schon mehrere Fernsehfilme gedreht.

Ein lustiges Kochbuch mit vielen fantastischen Fotos. Hier finden Sie tolle Rezepte für den kleinen und für den großen Hunger. Auch schwierige Menüs werden einfach und witzig erklärt. Ideal für junge Leute, die beim Thema Essen nicht an biologische Ernährung, sondern an schöne Stunden mit Freunden denken.

Ein Bestseller vom „deutschen Papst der Literaturkritik“. Mit 80 Jahren schreibt Reich-Ranicki, der in seiner Jugend als Jude das Warschauer Getto überlebt hat, ein Buch über sein Leben. Er erzählt von seiner beruflichen und persönlichen Entwicklung, seiner Ehe und von den vielen bekannten Autoren und Autorinnen, die er kennen gelernt hat. Ein wichtiges Buch, wenn Sie die deutsche Literatur lieben.

An einem Tag im Juni läuft die 16-jährige Tochter eines Münchner Ehepaars weg und kommt nicht wieder nach Hause. Ein furchtbarer Schock für die Eltern und ein schwieriger Fall für die Polizei. Die Schlagzeilen einer sensationshungrigen Reporterin aber machen das Unglück erst zu einem Drama. Als das Mädchen nach Monaten zurückkommt, ist die Familie zerstört.

5. Welcher Text gehört zu welchem Buch?

6. Welches Buch ist ein(e):

Jugendbuch, Tierbuch, Kriminalroman, Kochbuch, Autobiographie, Roman?

Herbstmilch

Lebenserinnerungen einer Bäuerin

ANNA WIMSCHNEIDER

Anna Wimschneider, geboren 1919 in Niederbayern, ist acht Jahre alt, als ihre Mutter bei der Geburt des neunten Kindes stirbt. Da ist für Anna die Kindheit vorbei.

Als ältestes Mädchen muss sie in der großen Bauernfamilie die Hausfrau und Mutter ersetzen. Annas Jugend besteht nur aus Arbeit und Armut.

Mit zwanzig Jahren heiratet sie ihre erste und einzige Liebe, Albert Wimschneider. Elf Tage nach der Hochzeit muss Albert zum Militär; Anna bleibt auf dem Bauernhof ihres Mannes mit vier alten, kranken Leuten zurück. Jetzt beginnt ihr Arbeitstag um zwei Uhr in der Nacht.

Anna Wimschneider, die nur fünf Jahre eine Schule besuchen konnte, hat in dem Buch „Herbstmilch“ ihr Leben beschrieben – das Leben einer Bäuerin. Es ist keine Idylle vom fröhlichen und gesunden Landleben.

Bestseller April 1989

Belletristik

1	**Wimschneider: Herbstmilch** Piper; 22 Mark
2	**Allende: Eva Luna** Suhrkamp; 38 Mark
3	**Danella: Das Hotel im Park** Hoffmann und Campe; 39,80 Mark
4	**King: Schwarz** Heyne; 19,80 Mark
5	**Süskind: Das Parfüm** Diogenes; 29,80 Mark
6	**Mehta: Die Maharani** Droemer; 39,80 Mark
7	**Groult: Salz auf unserer Haut** Droemer; 34 Mark
8	**Lessing: Das fünfte Kind** Hoffmann und Campe; 29,80 Mark
9	**Sheldon: Die Mühlen Gottes** Planvalet; 39,80 Mark
10	**Bradley: Die Feuer von Troia** Krüger; 48 Mark

Hektar : ein Hektar = 10 000 m²

Bub: Junge (bayerisch)

Badewandl: Badewanne (bayerisch)

röcheln: laut und schwer atmen

Bettstadl: Kinderbett (bayerisch)

Dirndsarbeit: Arbeit für Mädchen

Dirndl: Mädchen (bayerisch)

eine runterhauen: ins Gesicht schlagen

Rohrnudel, Dampfnudel: bayerische Mehlspeisen

Dämpfer: Kochtopf (bayerisch)

Kanapee: Möbel, auf dem man sitzen und liegen kann

Sau: weibliches Schwein

flicken: kaputte Kleidung reparieren

Im Landkreis Rottal-Inn steht an einem leichten Osthang ein Bauernhof mit neun Hektar Grund. Drinnen wohnten Vater und Mutter und der Großvater, das war Mutters Vater, und dazu noch acht Kinder. Franz war der älteste, dann kam der Michl, der Hans und ich, das erste Mädchen, nach mir Resl, Alfons, Sepp und Schorsch und später dann noch ein Bub. (…)

Einmal spielten wir auch so schön und lustig und liefen alle rund ums Haus. Da kam bei der Haustüre die Fanny heraus mit unserem Badewandl und schüttete nahe beim Haus viel Blut aus. … Sie sagte, das ist von der Mutter. … Die Mutter lag im Bett, sie hatte den Mund offen, und ihre Brust hob und senkte sich in einem Röcheln. Im Bettstadl lag ein kleines Kind und schrie, was nur rausging. Wir Kinder durften zur Mutter ans Bett gehen und jedes einen Finger ihrer Hand nehmen.

(…)

Es war gerade Sommer, meine Mutter ist am 21. Juli 1927 gestorben.

(…)

Es kam die Ernte, und die meiste Arbeit war da die Feldarbeit, und jeder hatte es satt, immer wieder zu helfen. Da dachte der Vater, ich muß mir selber helfen. Es blieb ihm nichts anderes übrig, als die Kinder arbeiten zu lassen.

(…)

Es dauerte nicht lange, da sagten die Buben, im Haus ist alles deine Arbeit, das ist Dirndsarbeit. Nach der Schule kam die Meieredermutter, um mir das Kochen beizubringen. In meinem Beisein sagte der Vater zu ihr, wenn sich's das Dirndl nicht merkt, haust du ihr eine runter, da merkt sie es sich am schnellsten. An Sonntagen lernte sie mir das meiste, da war keine Schule. Mit neun Jahren konnte ich schon Rohrnudeln, Dampfnudeln, Apfelstrudel, Fischgerichte und viele andere Dinge kochen.

(…)

Milch und Kartoffeln und Brot gehörten zu unserer Hauptnahrung. Abends, wenn ich nicht mehr richtig kochen konnte, weil wir oft von früh bis vier Uhr nachmittags Schule hatten und dann erst in der Abenddämmerung heimkamen, da haben wir für die Schweine einen großen Dämpfer Kartoffeln gekocht. Die kleinen Kinder konnten kaum erwarten, bis er fertig war, schliefen dann aber doch auf dem Kanapee oder auf der harten Bank ein. Wir mußten sie dann zum Essen wecken. Weil wir so viel Hunger hatten, haben wir so viele Kartoffeln gegessen, dass für die Schweine nicht genug übrigblieb. Da hat der Vater geschimpft. Der Hans hat einmal 13 Kartoffeln gegessen, da hat der Vater gesagt,(…) friß nicht so viel, es bleibt ja nichts mehr für die Sau.

(…)

Hosen wurden jeden Tag zerrissen. Da zwang mich mein Vater, bis um zehn Uhr abends zu nähen und zu flicken, wenn alle anderen schon im

Bett lagen. Auch er ging zu Bett. Wenn es mir dann gar zuviel wurde, ging ich in die Speisekammer, machte die Tür ganz auf und stellte mich hinter die aufgeschlagene Tür. Da konnte ich mich verstecken und weinte mich aus. Ich weinte so bitterlich, daß meine Schürze ganz naß wurde. Mir fiel dann immer ein, daß wir keine Mutter mehr haben. Warum ist gerade unsere Mutter gestorben, wo wir doch so viele Kinder sind.

(...)

Es kam das Jahr 1939, und manche Leute redeten vom Krieg. An einem Sonntag fragte mich Albert, ob ich seine Frau werden will. Ich konnte es anfangs gar nicht recht glauben. Dann hielt er bei meinem Vater um mich an. Da war es nun nicht mehr so leicht für den Vater, denn mit mir verlor er eine Arbeitskraft, und meine Schwester konnte mich nicht so leicht ersetzen.

(...)

Am 25. Juli 1939 wurde an Albert der Hof übergeben. Am 18. August war die standesamtliche und am 19. die kirchliche Trauung.

(...)

In einer halben Stunde war alles vorbei, und wir waren Mann und Frau. Wir zogen unsere schönen Kleider aus und fingen die Arbeit an. Das Essen war wie an anderen Tagen auch. Ein Hochzeitsfoto wurde nicht gemacht.

(...)

Wie wir geheiratet haben, waren wir so arm, das kann sich heute niemand vorstellen. Das mußte man schon von klein an gewöhnt sein, sonst hätte man das nicht ausgehalten.

(...)

Es war noch Erntezeit, (...), da kam mit der Post der Einberufungsbefehl für meinen Mann. (...) Dass mein Mann in der ganzen Gemeinde der erste und einzige war, der einrücken mußte, hat mich sehr geärgert. Nur weil meine vier alten Leute keine Nazis waren! Alle anderen jungen Männer waren lange Zeit noch daheim.

(...)

Meine Schwiegermutter sagte, jetzt, wo dein Mann nicht mehr hier ist, mußt du bei mir in der Kammer schlafen, du bist noch jung, und es könnte einer zu dir kommen. Mir war es gleich, ich war am Abend sowieso müde, daß ich nur schlafen wollte. Daher zog ich in ihre Kammer.

Um zwei Uhr morgens mußte ich aufstehen, um zusammen mit der Magd mit der Sense Gras zum Heuen zu mähen. Um sechs Uhr war die Stallarbeit dran, dann das Futtereinbringen für das Vieh, im Haus alles herrichten und wieder hinaus auf die Wiese. Ich mußte nur laufen. Die Schwiegermutter stand unter der Tür und sagte, lauf Dirndl, warum bist du Bäuerin geworden? Sie aber tat nichts.

Speisekammer: kleiner, kühler Raum für Lebensmittel

um eine Frau anhalten: um Erlaubnis für die Heirat bitten

Trauung: Hochzeit

Einberufungsbefehl: Befehl, Soldat zu werden

einrücken: zum Militär gehen

Nazis: Nationalsozialisten

Magd: Arbeiterin auf einem Bauernhof (früher)

Sense: altes Werkzeug zum Grasschneiden

Nach dem Buch „Herbstmilch“ wurde ein Film gedreht.
Auch der Film wurde ein großer Erfolg.

Das Buch „Herbstmilch“ war im deutschsprachigen Raum ein großer Erfolg. In vielen Zeitungen und Zeitschriften gab es Interviews mit Anna Wimschneider. Wir haben hier die wichtigsten Informationen für Sie zusammengestellt.

Was bedeutet der Titel des Buches?

Herbstmilch ist eine Suppe aus saurer Milch, Mehl und Wasser. Sie war früher ein häufiges Frühstück für arme Bauernfamilien in Bayern.

Las Anna Wimschneider gerne Bücher?

Außer der Bibel hat sie in ihrem Leben kaum etwas gelesen – noch nicht einmal ihr eigenes Buch.

Warum hat Anna Wimschneider ihre Lebenserinnerungen aufgeschrieben?

Anna Wimschneider hatte drei Töchter, die jetzt erwachsen sind und in München leben. Die Töchter baten die Mutter oft, ihre Lebenserinnerungen aufzuschreiben, weil sie wissen wollten, wie Annas schwere Kindheit und Jugend wirklich war. Als sie schon über sechzig Jahre alt war, war Anna lange Zeit schwer krank. Da setzte sie sich an ihren Küchentisch und schrieb zwei Wochen lang ihre Lebensgeschichte für ihre Kinder auf – dabei saß ihre Katze auf ihrem Schoß.

Wieso wurde aus dem privaten Manuskript ein Buch?

Nur durch Zufall. Annas zweite Tochter, Christine, ist mit einem Arzt verheiratet. Eines Tages kam ein Kollege zu Besuch und las Annas Lebensbericht. Er gefiel ihm so gut, dass er ihn dem Verleger Piper zu lesen gab, mit dem er befreundet war.

Was veränderte sich für Anna Wimschneider durch den großen Erfolg ihres Buches?

Anna Wimschneider hatte in ihrem Leben große Armut erlebt. Durch das Buch und den Film verdiente sie sehr viel Geld, aber sie blieb trotzdem eine einfache Bauersfrau. Sie wohnte mit ihrem Mann im gleichen Haus wie früher, mit den gleichen alten Möbeln. Für sich selbst gab sie nicht gerne Geld aus, aber Schenken machte ihr Freude. Ihr größtes Glück im Alter war, dass sie jetzt endlich so lange schlafen konnte, wie sie wollte.

Anna Wimschneider starb am 1. Januar 1993.

Demonstration der Bücher

■ Hallo …!
● Was ist? Wer ruft denn da?
■ Hallo, Herr Leser! Ich bin's, eins deiner Bücher.
● Nanu! Fangen Bücher jetzt auch schon an zu rufen? Und was willst du?
■ Ich möchte endlich gelesen werden!
● Gelesen werden – wozu? Sei froh, dass ich dich in Ruhe lasse.
■ Ich spreche auch im Namen meiner vielen Freunde. Die möchten auch endlich einmal gelesen werden.
● Red keinen Unsinn! Es ist sehr schön, wie ihr da steht. Es sieht gut aus und macht einen guten Eindruck.
■ Es ist uns egal, ob wir einen guten Eindruck machen – wir wollen gelesen werden!
● Außerdem habt ihr viel Geld gekostet – also seid jetzt bitte zufrieden!
■ Nein, wir sind nicht zufrieden! Wenn du uns nicht liest, dann machen wir eine Demonstration.
● Eine Demonstration? Ihr? Dass ich nicht lache!
■ Wir fangen an zu rütteln, zu rucken und zu zucken, bis wir aus dem Regal kippen und auf den Boden fallen.
● Kommt nicht in Frage! Ihr bleibt, wo ihr seid!
■ Und auf dem Boden machen wir dann keinen guten Eindruck mehr.
● Ich verbiete euch … Also gut, morgen beginne ich mit dem Lesen.
■ Wir glauben dir nicht. Seit Jahren willst du morgen beginnen.
● Dann heute Abend.
■ Heute Abend sitzt du doch wieder vor dem Fernseher – wie immer.
● Mein Gott, was seid ihr lästig! Also gut – sofort.
■ Danke, lieber Herr Leser, vielen Dank!

Artikel und Nomen

§ 1 Artikelwörter: „dieser“, „mancher“, „jeder“ / „alle“

	Nominativ		Akkusativ		Dativ		Genitiv	
Singular:	dies<u>er</u>	Mann	dies<u>en</u>	Mann	dies<u>em</u>	Mann	dies<u>es</u>	Mannes
	dies<u>e</u>	Frau	dies<u>e</u>	Frau	dies<u>er</u>	Frau	dies<u>er</u>	Frau
	dies<u>es</u>	Kind	dies<u>es</u>	Kind	dies<u>em</u>	Kind	dies<u>es</u>	Kindes
Plural:	dies<u>e</u>	Leute	dies<u>e</u>	Leute	dies<u>en</u>	Leuten	dies<u>er</u>	Leute

Diese Endungen auch bei den Artikelwörtern mancher *und* jeder/alle:

	manch<u>er</u>	Mann	manch<u>en</u>	Mann	manch<u>em</u>	Mann	manch<u>es</u>	Mannes
	…		…		…		…	

⚠ *Plural von* jeder *ist* alle:

Singular:	jed<u>er</u>	Mann	jed<u>en</u>	Mann	jed<u>em</u>	Mann	jed<u>es</u>	Mannes
	…		…		…		…	
Plural:	all<u>e</u>	Leute	all<u>e</u>	Leute	all<u>en</u>	Leuten	all<u>er</u>	Leute

Die Endungen sind wie die Endungen des definiten Artikels:

	Mask.	*Fem.*	*Neutrum*	*Plural*
Nominativ	-er	-e	-es	-e
Akkusativ	-en	-e	-es	-e
Dativ	-em	-er	-em	-en
Genitiv	-es	-er	-es	-er

§ 2 Artikel bei zusammengesetzten Nomen

<u>die</u> Arbeit + <u>der</u> Tag → <u>der</u> Arbeitstag
<u>der</u> Urlaub + <u>die</u> Reise → <u>die</u> Urlaubsreise
<u>die</u> Woche + <u>das</u> Ende → <u>das</u> Wochenende

Nomen mit besonderen Formen im Singular — § 3

a) Einige maskuline Nomen

Nominativ	der	Mensch	Herr	Kollege	Name
Akkusativ	den	Mensch<u>en</u>	Herr<u>n</u>	Kollege<u>n</u>	Name<u>n</u>
Dativ	dem	Mensch<u>en</u>	Herr<u>n</u>	Kollege<u>n</u>	Name<u>n</u>
Genitiv	des	Mensch<u>en</u>	Herr<u>n</u>	Kollege<u>n</u>	Name<u>ns</u>

Diese Endungen auch bei anderen Nomen:

wie Mensch: Assist<u>ent</u>, Pati<u>ent</u>, Präsid<u>ent</u>, Stud<u>ent</u>, Musik<u>ant</u>, …
Demokr<u>at</u>, Sold<u>at</u>, …
Fotogr<u>af</u>, …
Journal<u>ist</u>, Jur<u>ist</u>, Kompon<u>ist</u>, Poliz<u>ist</u>, Tour<u>ist</u>, …
wie Herr: Bauer; Nachbar
wie Kollege: Junge, Kunde, Neffe
Chinese, Grieche, Franzose, …

Diese Endungen auch bei

Friede, Gedanke

b) Nomen aus Adjektiven

	Maskulinum		*Femininum*	
Nom.	der Angestellt<u>e</u>	ein Angestellt<u>er</u>	die Angestellt<u>e</u>	eine Angestellt<u>e</u>
Akk.	den Angestellt<u>en</u>	einen Angestellt<u>en</u>	die Angestellt<u>e</u>	eine Angestellt<u>e</u>
Dat.	dem Angestellt<u>en</u>	einem Angestellt<u>en</u>	der Angestellt<u>en</u>	einer Angestellt<u>en</u>
Gen.	des Angestellt<u>en</u>	eines Angestellt<u>en</u>	der Angestellt<u>en</u>	einer Angestellt<u>en</u>

Diese Endungen auch bei
der/die Angehörige, Arbeitslose, Bekannte, Deutsche, Erwachsene, Jugendliche, Kranke, Selbstständige, Tote, Verlobte, Verwandte, …; der Beamte (*Femininum:* die Beamtin)

Vgl. Deklination der Adjektive § 5.

Genitiv bei Ausdrücken mit Possessivartikel und bei Namen — § 4

die Frau	von meinem	Bruder	die Frau	mein<u>es</u>	Bruders
der Mann	von meiner	Schwester	der Mann	mein<u>er</u>	Schwester
die Mutter	von meinem	Kind	die Mutter	mein<u>es</u>	Kindes
die Eltern	von meinen	Eltern	die Eltern	mein<u>er</u>	Eltern

die Frau	von Helmut	Helmut<u>s</u>	Frau
der Mann	von Ingrid	Ingrid<u>s</u>	Mann
das Kind	von Ulrike	Ulrike<u>s</u>	Kind

Vornamen auf -s *oder* -z *kann man mit Apostroph schreiben:* Thoma<u>s</u>' Frau.
Beim Sprechen benützt man oft von + *Name:* die Frau von Thomas.

Adjektiv

§ 5 Artikelwort + Adjektiv + Nomen

		nach definitem Artikel			*nach indefinitem Artikel*		
Singular:	*Nominativ*	der	kleine	Mann	ein	kleiner	Mann
		die	kleine	Frau	eine	kleine	Frau
		das	kleine	Kind	ein	kleines	Kind
	Akkusativ	den	kleinen	Mann	einen	kleinen	Mann
		die	kleine	Frau	eine	kleine	Frau
		das	kleine	Kind	ein	kleines	Kind
	Dativ	dem	kleinen	Mann	einem	kleinen	Mann
		der	kleinen	Frau	einer	kleinen	Frau
		dem	kleinen	Kind	einem	kleinen	Kind
	Genitiv	des	kleinen	Mannes	eines	kleinen	Mannes
		der	kleinen	Frau	einer	kleinen	Frau
		des	kleinen	Kindes	eines	kleinen	Kindes

nach definitem Artikel: *Diese Formen auch nach* dieser, diese, dieses; jeder, jede, jedes; alle

nach indefinitem Artikel: *Diese Formen auch nach* kein, keine; mein, meine; dein, deine; …

		nach definitem Artikel			*nach indefinitem Artikel*		
Plural:	*Nominativ*	die	kleinen	Leute		kleine	Leute
	Akkusativ	die	kleinen	Leute		kleine	Leute
	Dativ	den	kleinen	Leuten		kleinen	Leuten
	Genitiv	der	kleinen	Leute		kleiner	Leute

nach definitem Artikel: *Diese Formen auch nach*
diese
alle
keine
meine, deine, seine, …

§ 6 Adjektive mit besonderen Formen

Das Kleid ist	teuer.	–	Das ist ein	teures	Kleid.
Der Wein ist	sauer.	–	Das ist ein	saurer	Wein.
Der Rock ist	dunkel.	–	Das ist ein	dunkler	Rock.
Ihre Stirn ist	hoch.	–	Sie hat eine	hohe	Stirn.

Steigerung des Adjektivs §7

	Adjektiv als Ergänzung zum Verb sein		*Artikel + Adjektiv + Nomen*		
	Der Opel ist	schnell.	Der Opel ist	ein schnell es	Auto.
Komparativ	Der Fiat ist	schnell er.	Der Fiat ist	das schnell er e ein schnell er es	Auto. Auto.
Superlativ	Der Renault ist	am schnell st en	Der Renault ist	das schnell st e	Auto.

Vergleiche §8

a) Ohne Steigerung

Der Opel ist	so schnell	wie	der Ford.	so + *Adjektiv* + wie
Der Opel ist	genauso schnell	wie	der Ford.	
Der Opel ist	fast so schnell	wie	der Ford.	
Der Opel ist	nicht so schnell	wie	der Ford.	
Der Opel ist	nicht so schnell,	wie	der Verkäufer gesagt hat.	

b) Mit Steigerung (Komparativ)

Der Fiat ist		schneller	als	der Opel.	*Adjektiv im Komparativ* + als
Der Fiat ist	etwas	schneller	als	der Opel.	
Der Renault ist	viel	schneller	als	der Opel.	
Der Fiat ist	nicht	schneller	als	der Renault.	
Der Renault ist	viel	schneller,	als	der Verkäufer gesagt hat.	

Ordinalzahlen §9

der 1. Mai	der	erste	Mai
die 2. Stelle	die	zweite	Stelle
das 3. Kind	das	dritte	Kind
Ulm, den 4. Juni	den	vierten	Juni
im 5. Lebensjahr	im	fünften	Lebensjahr
am 6. August	am	sechsten	August
im 7. Monat	im	siebten	Monat
…			

Endungen: wie die Adjektivendungen, siehe § 5!

der 20. Mai	der	zwanzig ste	Mai
am 21. Juni	am	einundzwanzig sten	Juni
sein 100. Kunde	sein	(ein)hundert ster	Kunde
die 101. Frage	die	(ein)hunderterste	Frage
das 1000. Mitglied	das	(ein)tausend ste	Mitglied

Pronomen

§ 10 Reflexivpronomen

	Akkusativ				*Dativ*		
Ich	ärgere	mich	über die Sendung.	Ich	kaufe	mir	einen Fernseher.
Du	ärgerst	dich		Du	kaufst	dir	
Sie	ärgern	sich		Sie	kaufen	sich	
Er	ärgert	sich		Er	kauft	sich	
Sie	ärgert	sich		Sie	kauft	sich	
Es	ärgert	sich		Es	kauft	sich	
Wir	ärgern	uns		Wir	kaufen	uns	
Ihr	ärgert	euch		Ihr	kauft	euch	
Sie	ärgern	sich		Sie	kaufen	sich	
Sie	ärgern	sich		Sie	kaufen	sich	

⚠ Er ärgert sich.
≠ Er ärgert ihn.

Er kauft sich einen Fernseher.
≠ Er kauft ihm einen Fernseher.

§ 11 Reziprokpronomen

Sie besucht	ihn.	Er besucht	sie.	→	Sie besuchen	sich.
Sie hilft	ihm.	Er hilft	ihr.	→	Sie helfen	sich.

Weitere Verben mit Reziprokpronomen:

sich anschauen, sich ansehen, sich kennen lernen, sich lieben, sich treffen, sich wünschen, ...

§ 12 Präpositionalpronomen (Pronominaladverbien)

bei Sachen:
Worüber ärgerst du dich?
Ich ärgere mich über den Film.
Ich ärgere mich darüber.

	Fragewort: wo + *Präposition*	*Pronomen* da + *Präposition*
für:	wofür?	dafür
mit:	womit?	damit?
...		
auf:	worauf?	darauf?
über:	worüber?	darüber

bei Personen:
Über wen ärgerst du dich?
Ich ärgere mich über den Moderator.
Ich ärgere mich über ihn.

Präposition + *Fragewort*	*Präposition* + *Pronomen*
für wen?	für ihn / für sie
mit wem?	mit ihm / mit ihr
auf wen?	auf ihn / auf sie
über wen?	über ihn / über sie

Verben mit Präpositionalergänzung: siehe §§ 34 und 35.

Relativpronomen § 13

Nom.	Der Fluss,	der durch den Bodensee fließt,	heißt Rhein.	Der Fluss fließt…
Akk.		den wir einmal gesehen haben,		Den Fluss haben wir…
Dat.		in dem ich geschwommen bin,		In dem Fluss bin ich…
Gen.		dessen Ufer ich so schön finde,		Das Ufer des Flusses…
		Relativpronomen		*Zum Vergleich: definiter Artikel*

	Maskulinum	*Femininum*	*Neutrum*	*Plural*
	Der Fluss,	Die Insel,	Das Gebirge,	Die Städte,
Nominativ	der …	die …	das …	die …
Akkusativ	den …	die …	das …	die …
Dativ	dem …	der …	dem …	denen …
Genitiv	dessen …	deren …	dessen …	deren …

mit Präposition:

	Der Fluss,	Die Insel,	Das Gebirge,	Die Städte,
Akkusativ	durch den …	durch die …	durch das …	durch die …
Dativ	von dem …	von der …	von dem …	von denen …

Ausdrücke mit „es" § 14

a) es *als Personalpronomen*

Das Klima des Regenwaldes ist heiß und feucht.
Es ist für Pflanzen ideal.
Aber für den Menschen ist es sehr ungesund.

es *ist hier Personalpronomen für* das Klima des Regenwaldes.

b) es *als unpersönliches Pronomen*

in Wetterangaben:	*In unpersönlichen Ausdrücken:*
Es regnet.	Es stimmt, dass…
Es ist heute sehr kalt.	Es ist gut/schlecht/schade/…, dass…
Morgen schneit es vielleicht.	Es dauert …
	Es gibt …
	Es geht.

es *ist hier unpersönliches Pronomen und steht nicht für ein Nomen.*

Präpositionen

§ 15 Kasus bei Präpositionen

Wechsel-präpositionen		*Präpositionen mit Akkusativ*		*Präpositionen mit Dativ*		*Präpositionen mit Genitiv*	
an	+ *Akk.*	bis	+ *Akk.*	aus	+ *Dativ*	während	+ *Genitiv*
auf	*oder*	durch		außer		wegen	*(in der*
hinter	+ *Dativ*	für		bei			*Umgangs-*
in		gegen		mit			*sprache*
neben		ohne		nach			*auch mit*
über		um		seit			*Dativ)*
unter				von			
vor				zu			
zwischen							

§ 16 Lokale und temporale Bedeutungen von Präpositionen

Lokale Funktionen

Wo?	an, auf, bei, hinter, in, neben, über, unter, vor, zwischen + *Dativ*
	an der Wand, auf dem Dach, beim Regal
Wohin?	an, auf, gegen, hinter, in, neben, über, unter, vor, zwischen + *Akkusativ* nach, bis (nach), zu, bis zu + *Dativ*
	an die Wand, auf das Dach, nach Bern, bis Genf, zum See, bis zur Brücke
Woher?	aus, von + *Dativ*
	aus der Schweiz, vom Bodensee
auf welchem Weg?	durch, über, um (…herum) + *Akk.*
	durch Bonn, über München, um die Stadt herum

Temporale Funktionen

Wann?	gegen, um + *Akkusativ* in, nach, vor, zwischen + *Dativ* während + *Genitiv*
	gegen Mittag, um 19.30 Uhr in einer Stunde, nach zwei Tagen, vor sieben Uhr, zwischen zwölf und halb eins während der Pause
Wie lange?	über + *Akkusativ* bis, seit, von … bis (zu) + *Dativ*
	über eine Stunde (noch) bis halb vier, (schon) seit gestern, vom Montag bis zum Mittwoch / von Montag bis Mittwoch

Zeitausdrücke im Akkusativ ohne Präposition § 17

Hier regnet es jeden Tag.
Das dauert den ganzen Tag.

Wann?		Wie oft?	Wie lange?	
diesen letzten vorigen nächsten	Monat	jeden Tag alle drei Minuten	den ganzen einen	Tag

Adjektive und Nomen mit Präpositionalergänzungen § 18

dankbar sein gut sein typisch sein eine Demonstration ein Streik Zeit	für + *Akkusativ*

eine Demonstration ein Streik	gegen + *Akkusativ*

enttäuscht sein froh sein glücklich sein eine Diskussion ein Gespräch eine Information ein Vertrag	über + *Akkusativ*

Verben mit Präpositionalergänzung: siehe §§ 34 und 35.

Verb

§ 19 Präteritum

a) Schwache Verben, Modalverben, unregelmäßige Verben

		Trennbare Verben	*Verbstamm auf -t-/-d-*	
	sagen	abholen	arbeiten	baden
ich	sagte	holte ... ab	arbeitete	badete
du	sagtest	holtest ... ab	arbeitetest	badetest
Sie	sagten	holten ... ab	arbeiteten	badeten
er/sie/es	sagte	holte ... ab	arbeitete	badete
wir	sagten	holten ... ab	arbeiteten	badeten
ihr	sagtet	holtet ... ab	arbeitetet	badetet
Sie	sagten	holten ... ab	arbeiteten	badeten
sie	sagten	holten ... ab	arbeiteten	badeten

ich	-te
du	-test
Sie	-ten
er/sie/es	-te
wir	-ten
ihr	-tet
Sie	-ten
sie	-ten

Modalverben

	wollen	sollen	können	dürfen	müssen
ich	wollte	sollte	konnte	durfte	musste
du	wolltest	solltest	konntest	durftest	musstest
er/sie/es	wollte	sollte	konnte	durfte	musste
wir	wollten	sollten	konnten	durften	mussten
ihr	wolltet	solltet	konntet	durftet	musstet
sie/Sie	wollten	sollten	konnten	durften	mussten

Unregelmäßige Verben

	kennen	denken	bringen	wissen	werden	mögen	haben
ich	kannte	dachte	brachte	wusste	wurde	mochte	hatte
du	kanntest	dachtest	brachtest	wusstest	wurdest	mochtest	hattest
er/sie/es	kannte	dachte	brachte	wusste	wurde	mochte	hatte
wir	kannten	dachten	brachten	wussten	wurden	mochten	hatten
ihr	kanntet	dachtet	brachtet	wusstet	wurdet	mochtet	hattet
sie/Sie	kannten	dachten	brachten	wussten	wurden	mochten	hatten

auch
nennen

b) Starke Verben

	kommen	sein	*Trennbare Verben* anfangen	*Verbstamm auf -t- / -d-* tun	stehen
ich	kam	war	fing ... an	tat	stand
du	kamst	warst	fingst ... an	tatest	standest
Sie	kamen	waren	fingen ... an	taten	standen
er/sie/es	kam	war	fing ... an	tat	stand
wir	kamen	waren	fingen ... an	taten	standen
ihr	kamt	wart	fingt ... an	tatet	standet
Sie	kamen	waren	fingen ... an	taten	standen
sie	kamen	waren	fingen ... an	taten	standen

ich	-
du	-st
Sie	-en
er/sie/es	-
wir	-en
ihr	-t
Sie	-en
sie	-en

Unregelmäßige und starke Verben:

Die Form für das Präteritum finden Sie in der alphabetischen Wortliste auf den Seiten 150 bis 160 vor der Perfektform des Verbs:
kommen *(Dir)* kam, ist gekommen

Konjunktiv II §20

Möglichkeit, Wunsch; Realität				*Zum Vergleich: Präsens: Realität*
Er	würde	nach Hause	kommen.	Er kommt nach Hause.
Er	würde	gern Theater	spielen.	Er spielt gern Theater.
Er	würde	sie	abholen.	Er holt sie ab.
Sie	wäre	glücklich.		Sie ist glücklich.
Sie	hätte	keine Probleme.		Sie hat keine Probleme.
Sie	könnte	ihn	einladen.	Sie kann ihn einladen.

	sein	haben	können	dürfen	müssen	sollen	wollen
ich	wäre	hätte	könnte	dürfte	müsste	sollte	wollte
du	wärst	hättest	könntest	dürftest	müsstest	solltest	wolltest
er/sie/es	wäre	hätte	könnte	dürfte	müsste	sollte	wollte
wir	wären	hätten	könnten	dürften	müssten	sollten	wollten
ihr	wärt	hättet	könntet	dürftet	müsstet	solltet	wolltet
sie/Sie	wären	hätten	könnten	dürften	müssten	sollten	wollten

⚠ *Vgl. Präteritum:*

ich	war	hatte	konnte	durfte	musste	sollte	wollte

Andere Verben: würde + *Infinitiv*

	sagen	kommen	abholen
ich	würde ... sagen	würde ... kommen	würde ... abholen
du	würdest ... sagen	würdest ... kommen	würdest ... abholen
er/sie/es	würde ... sagen	würde ... kommen	würde ... abholen
wir	würden ... sagen	würden ... kommen	würden ... abholen
ihr	würdet ... sagen	würdet ... kommen	würdet ... abholen
sie/Sie	würden ... sagen	würden ... kommen	würden ... abholen

§ 21 Passiv

Passiv:	werden	+	*Partizip II*	*Zum Vergleich: Aktiv*		
Der Motor	wird		geprüft.	Man	prüft	den Motor.
Das Blech	wird	von Robotern	geschnitten.	Roboter	schneiden	das Blech.
↑ *Subjekt*				↑ *Subjekt*		↑ *Akkusativergänzung*

	Präsens	*Präteritum*
ich	werde geholt	wurde geholt
du	wirst geholt	wurdest geholt
er/sie/es	wird geholt	wurde geholt
wir	werden geholt	wurden geholt
ihr	werdet geholt	wurdet geholt
sie/Sie	werden geholt	wurden geholt

werden ≠ werden:		
	Peter wird Lehrer.	werden + *Nomen*
	Der Motor wird lauter.	werden + *Adjektiv*
	Sabine würde kommen, wenn ...	würde + *Infinitiv = Konjunktiv II*
	Der Motor wird geprüft.	werden + *Partizip II = Passiv*

Satzstrukturen

Struktur des Nebensatzes § 22

	Junktor	Vorfeld	Verb$_1$	Subj.	Erg.	Ang.	Ergänzung	Verb$_2$	Verb$_1$ im Nebensatz
Hauptsatz:		Sabine	möchte				Fotomodell	werden,	
Nebensätze:	weil			sie		dann	viel Geld		verdient.
	weil			sie		dann	schöne Kleider	tragen	kann.
	weil			Gabi	ihr		diesen Beruf	empfohlen	hat.

Subjunktor

Nebensatz im Vorfeld § 23

	Junktor	Vorfeld	Verb$_1$	Subj.	Erg.	Ang.	Ergänzung	Verb$_2$	Verb$_1$ im Nebensatz
Hauptsatz:		Sabine	will				viel Geld	verdienen.	
Nebensatz:	Weil			sie			viel Geld	verdienen	will,
Hauptsatz:			möchte	sie			Fotomodell	werden.	
Nebensatz:	Obwohl			sie			viel Geld		verdient,
Hauptsatz:			ist	sie			unzufrieden.		

Subjunktoren § 24

als	Der Wagen ist schneller, als der Verkäufer gesagt hat.
bevor	Bevor Herr Bauer Rentner wurde, hatte seine Frau ein Auto.
bis	Peter muss noch ein Jahr warten, bis er sein Abitur hat.
damit	Herr Neudel wandert aus, damit die Familie besser leben kann.
dass	Ich weiß, dass dein Mann Helmut heißt.
ob	Er fragt, ob er eine Arbeitserlaubnis braucht.
obwohl	Sie ist zufrieden, obwohl sie nicht viel Geld verdient.
seit	Seit seine Frau tot ist, lebt er ganz allein.
während	Während es in der DDR wirtschaftliche Probleme gab, entwickelte die BRD sich schnell.
weil	Gabi möchte Sportlerin werden, weil sie die Schnellste in der Klasse ist.
wenn	Wenn du mit mir gehen würdest, dann wärst du nicht mehr allein.
wie	Das Auto ist nicht so schnell, wie der Verkäufer gesagt hat.

§ 25 Nebensatz mit „dass"

	Junktor	*Vorf.*	*Verb₁*	*Subj.*	*Erg.*	*Angabe*	*Ergänzung*	*Verb₂*	*Verb₁ im Nebensatz*
Hauptsätze:		Ich	weiß,						
		er	heißt				Helmut.		
		Ich	glaube,						
		sie	hat		ihn	im Urlaub		kennen gelernt.	
Nebensätze:			Stimmt	es,					
	dass			sie				geheiratet	hat?
		Ich	weiß,						
	dass			er			Helmut		heißt.
		Ich	glaube,						
	dass			sie	ihn	im Urlaub		kennen gelernt	hat.

Verben vor einem dass-*Satz oder einem Hauptsatz:*

sagen, gehört haben, meinen, hoffen, finden, wissen,
der Meinung sein, glauben, überzeugt sein,

⚠ *Nur vor einem* dass-*Satz:*

dafür sein,
dagegen sein

§ 26 Indirekter Fragesatz

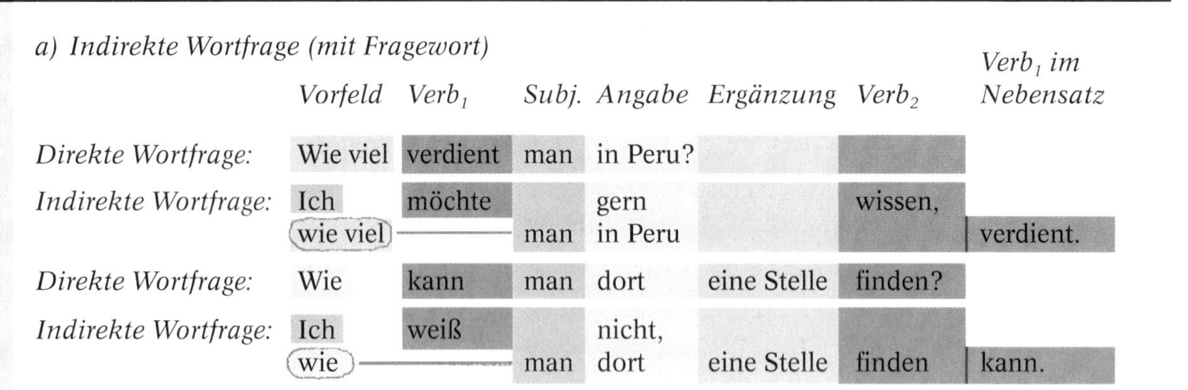

a) Indirekte Wortfrage (mit Fragewort)

	Vorfeld	*Verb₁*	*Subj.*	*Angabe*	*Ergänzung*	*Verb₂*	*Verb₁ im Nebensatz*
Direkte Wortfrage:	Wie viel	verdient	man	in Peru?			
Indirekte Wortfrage:	Ich	möchte		gern		wissen,	
	wie viel		man	in Peru			verdient.
Direkte Wortfrage:	Wie	kann	man	dort	eine Stelle	finden?	
Indirekte Wortfrage:	Ich	weiß		nicht,			
	wie		man	dort	eine Stelle	finden	kann.

b) Indirekte Satzfrage (mit Subjunktor ob*)*

	Junkt.	*Vorfeld*	*Verb₁*	*Subj.*	*Angabe*	*Ergänzung*	*Verb₂*	*Verb₁ im Nebensatz*
Direkte Satzfrage:			Muss	man	vorher	einen Kurs	machen?	
Indirekte Satzfrage:		Ich	möchte		gern		wissen,	
	ob			man	vorher	einen Kurs	machen	muss.
Direkte Satzfrage:			Braucht	man		einen Pass?		
Indirekte Satzfrage:		Ich	weiß		nicht,			
	ob			man		einen Pass		braucht.

c) Verben vor indirekten Fragesätzen

überlegen	wissen wollen	wer, was, wen, wem, …
vergessen haben	fragen	wann, wo, wie, wie lange …
nicht wissen		ob

Ist sie blond? Ich weiß es nicht mehr. → Ich habe vergessen, ob sie blond ist.
Sie ist blond. Ich weiß es noch genau. → Ich habe nicht vergessen, dass sie blond ist.

Konjunktoren § 27

Junktor	*Vorfeld*	*Verb₁*	*Subj.*	*Erg.*	*Angabe*	*Ergänzung*	*Verb₂*
	Vera	ist				Psychologin	geworden,
denn	das	ist				ein schöner Beruf.	
	Vera	hat				wenig Geld	
und	deshalb	wohnt	sie		noch	bei ihren Eltern.	
	Vera	sucht			schon zwei Monate,		
aber	sie	hat				noch keine Stelle	gefunden.

aber	Ich habe zwanzig Bewerbungen geschrieben, aber immer war die Antwort negativ.
denn	Eine Wohnung ist ihr zu teuer, denn vom Arbeitsamt bekommt sie kein Geld.
oder	Manfred kann noch ein Jahr zur Schule gehen, oder er kann eine Lehre machen.
sondern	Manfred studiert nicht, sondern er macht eine Lehre.
und	Man sucht vor allem Leute mit Berufserfahrung, und die habe ich noch nicht.

Konjunktoren stehen zwischen zwei Hauptsätzen.

§ 28 Übersicht: Verbindung von zwei Sätzen

a) Durch Subjunktoren: Hauptsatz und Nebensatz

Junktor	*Vorfeld*	*Verb$_1$*	*Subj.*	*Angabe*	*Ergänzung*	*Verb$_2$*	*Verb$_1$ im Nebensatz*
	Vom Arbeitsamt	bekommt	sie		kein Geld,		
weil			sie	noch nie	eine Stelle		hatte.
Obwohl			sie	schon	27 Jahre alt		ist,
		wohnt	sie	immer noch	bei ihren Eltern.		

 *Subjunktoren: siehe § 24. Subjunktoren stehen vor einem Nebensatz.*

b) Durch Konjunktoren: zwei Hauptsätze

Junktor	*Vorfeld*	*Verb$_1$*	*Subj.*	*Angabe*	*Ergänzung*	*Verb$_2$*
	Die Arbeit dort	ist			ganz interessant,	
aber	mein Traumjob	ist	das	nicht.		
	Vera	würde		gern	eine Wohnung	suchen,
denn	sie	ist		schon	27 Jahre alt.	

 *Konjunktoren: siehe § 27. Konjunktoren stehen zwischen zwei Hauptsätzen.*

c) Durch Angabewörter: zwei Hauptsätze

Junktor	*Vorfeld*	*Verb$_1$*	*Subj.*	*Angabe*	*Ergänzung*	*Verb$_2$*
	Man	muss			besser	sein,
	dann	findet	man	schon	eine Stelle.	
	Vom Arbeitsamt	bekommt	sie		kein Geld,	
	deshalb	wohnt	sie	noch	bei ihren Eltern.	

 *Angabewörter z. B.:* also, daher, dann, deshalb, trotzdem, …

Wenn Angabewörter zwei Sätze verbinden sollen, stehen sie im Vorfeld des zweiten Satzes.

Relativsatz §29

	Vorfeld	$Verb_1$	Subjekt	Angabe	Ergänzung	$Verb_2$	$Verb_1$ im Nebensatz
Hauptsätze:	Es	gibt			einen Fluss.		
	Der	fließt			durch einen See.		
	Den	hat	fast jeder	schon		gesehen.	
	An dem	liegt	Köln.				
	Wie	heißt	der Fluss,				
Relativsätze:	der				durch den See		fließt?
	den		fast jeder	schon		gesehen	hat?
	an dem		Köln				liegt?

Der Relativsatz ist ein Nebensatz.

Infinitivsatz mit „zu" §30

	Vorfeld	$Verb_1$	Subj.	Erg.	Angabe	Ergänzung	$Verb_2$
Hauptsätze:	Sie	möchte		sich	nicht	über ihren Mann	ärgern.
	Sie	sollte			weniger		rauchen.
	Sie	möchte					abnehmen.
Infinitivsätze mit zu:	Sie	versucht,					
				sich	nicht	über ihren Mann	zu ärgern.
	Sie	hat				keine Lust,	
					weniger		zu rauchen.
	Sie	hat				keine Zeit	
							abzunehmen.

Verben und Ausdrücke vor Infinitiv mit zu:

versuchen vergessen helfen Lust haben Zeit haben …	(etwas) zu tun

Verben mit trennbarem Verbzusatz:

Infinitiv:	*Partizip Perfekt:*	*Infinitiv mit* zu:
abnehmen	abgenommen	abzunehmen
einladen	eingeladen	einzuladen
…	…	…

§ 31 Infinitivsatz mit „um … zu …“

	Junkt.	*Vorfeld*	*Verb$_1$*	*Subjekt*	*Erg.*	*Ang.*	*Ergänzung*	*Verb$_2$*	*Verb$_1$ im Nebensatz*
Hauptsätze:		Simone	wollte		sich	in L.	eine Stelle	suchen.	
		Sie	wollte			dort	ihr Glück	versuchen.	
Infinitivsätze		Simone	fuhr				nach L.,		
mit um … zu:	um				sich	dort	eine Stelle	zu suchen.	
	um					dort	ihr Glück	zu versuchen.	
Zum Vergleich:		Neudels	wollen					auswandern,	
Infinitivsatz:	um					freier		zu leben.	
Nebensatz:	damit			Herr N.			mehr Geld		verdient.

Jemand tut etwas, | um … zu … *(sie oder er selbst)* → *gleiches Subjekt:* um … zu …
| damit … *(jemand anderes)* → *verschiedene Subjekte:* damit …

§ 32 „Zum“ + Infinitiv

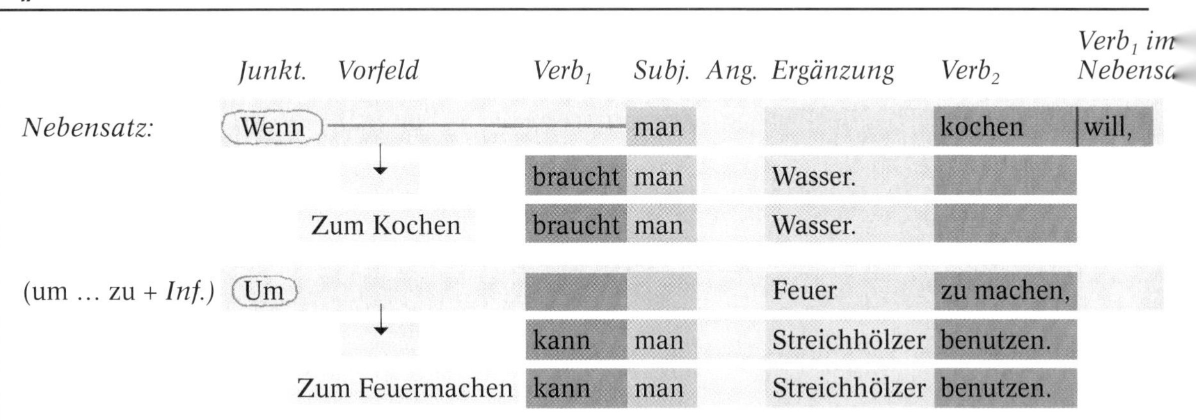

	Junkt.	*Vorfeld*	*Verb$_1$*	*Subj.*	*Ang.*	*Ergänzung*	*Verb$_2$*	*Verb$_1$ im Nebensa*
Nebensatz:	Wenn			man			kochen	will,
		↓	braucht	man		Wasser.		
		Zum Kochen	braucht	man		Wasser.		
(um … zu + *Inf.*)	Um					Feuer	zu machen,	
		↓	kann	man		Streichhölzer	benutzen.	
		Zum Feuermachen	kann	man		Streichhölzer	benutzen.	

Unbetonte Dativergänzung und Akkusativergänzung: Reihenfolge im Satz — § 33

Vorfeld	$Verb_1$	Subj.	Ergänzung			Ang.	Ergänzung	$Verb_2$
Ich	brauche					morgen	das Werkzeug.	
	Kannst	du		mir	das Werkzeug	morgen		bringen?
	Kannst	du		mir	das	morgen		bringen?
	Kannst	du	es	mir		morgen		bringen?
	Kannst	du		deinem Vater	das Werkzeug	morgen		bringen?
Ich	bringe			dir	das Werkzeug	morgen.		
Ich	bringe		es	dir		morgen.		
Morgen	bringe	ich		dir	das.			

Akkusativ: Personalpronomen	*Dativ: Nomen oder Pronomen*	*Akkusativ: Nomen oder Definitpronomen*
1	2	3

Verben und Ergänzungen

Verben mit Präpositionalergänzung + Akkusativ — § 34

Frage	Verben	Beispiele
An wen? Woran?	denken (sich) gewöhnen glauben	An wen denkt sie? Woran gewöhnt er sich? Woran glaubt sie?
Auf wen? Worauf?	aufpassen sich freuen	Auf wen passt sie auf? Worauf freut er sich?

Weitere Verben mit auf + *Akk.:* hoffen, sich verlassen, sich vorbereiten, warten

Frage	Verben	Beispiele
Für wen? Wofür?	sich entschuldigen sich interessieren	Wofür hat er sich entschuldigt? Für wen interessiert sie sich?
Was? Wen? — Für wen? Wofür?	ausgeben brauchen	Für wen gibt er was aus? Wofür braucht sie was?
Wem? — Wofür?	danken	Wem dankt er wofür?

Weitere Verben mit für + *Akk.:* demonstrieren, gelten, sein, sorgen, sparen, streiken

Fragewort	Verb	Beispiel
Gegen wen? Wogegen?	demonstrieren sein streiken	Wogegen demonstriert er? Für wen ist das? Wogegen streikt sie?
Über wen? Worüber?	sich freuen nachdenken sprechen	Worüber freut er sich? Worüber denkt sie nach? Über wen sprechen sie?

Weitere Verben mit über + *Akk.:* sich ärgern, sich aufregen, sich beschweren, diskutieren, sich informieren, klagen, lachen, schimpfen, sich unterhalten, weinen

Fragewort	Verb	Beispiel
Um wen? Worum?	bitten sich kümmern (gehen:) es geht	Worum hat er gebeten? Um wen will sie sich kümmern? Worum geht es?

§ 35 Verben mit Präpositionalergänzung + Dativ

	Fragewort	Verb	Beispiel
	Bei wem?	sich entschuldigen	Bei wem entschuldigt sie sich?
Wem?	Wobei?	helfen	Wem hat sie wobei geholfen?
	Mit wem? Womit?	anfangen sprechen	Womit fängt er an? Mit wem hat er gesprochen?
Wen? Was?	Mit wem? Womit?	vergleichen	Wen vergleicht sie mit wem? Was vergleicht er womit?

Weitere Verben mit mit + *Dativ:* aufhören, beginnen, spielen, telefonieren, sich unterhalten

Fragewort	Verb	Beispiel
Nach wem? Wonach?	fragen suchen	Nach wem hat sie gefragt? Wonach sucht er?
Von wem? Wovon?	erzählen sprechen	Wovon erzählt sie? Von wem spricht er?

Wen?	Mit wem? Wovor?	warnen	Wovor hat sie wen gewarnt?
	Zu wem? Wozu?	gehören	Zu wem gehört er? Wozu gehört das?

Hier finden Sie alle Wörter, die in diesem Buch vorkommen, mit Angabe der Seiten. (Den „Lernwortschatz" finden Sie im Arbeitsbuch jeweils auf der ersten Seite der Lektionen.) Einige zusammengesetzte Wörter (Komposita) stehen nur als Teilwörter in der Liste.
Bei Nomen stehen der Artikel und die Pluralform; Nomen ohne Angabe der Pluralform benutzt man nicht im Plural. Die Artikel sind abgekürzt: r = der, e = die, s = das.
Bei Verben stehen Hinweise zu den Ergänzungen und abweichende Konjugationsformen für „er"/„sie"/„es" und das Perfekt.

Abkürzungen:

jmd = jemand
etw = etwas
N = Nominativ
A = Akkusativ
D = Dativ

Adj = Adjektiv/Adverb als Ergänzung im Nominativ
Sit = Situativergänzung
Dir = Direktivergänzung
Verb = Verbativergänzung

A

B

ALPHABETISCHE WORTLISTE

C

D

E

F

G

s Gebirge, - 78, 79
r Gedanke, -n 108
s Gedicht, -e 122
s Gefühl, -e 93
s Gegenteil 120
geizig 92
gelten für jmd_A/etw_A gilt, galt, hat gegolten 90, 94
e Gemeinde, -n 82, 127
e Gemeinschaft, -en 112
s Gepäck 86
e Gepäckversicherung, -en 86
gesamtdeutsch 105
e Geschäftsführerin, -nen 91
s Geschlecht, -er 113
e Gesellschaft, -en 106, 113
gesondert 82
gestehen (jmd_D) etw_A gestand, hat gestanden 123
s Getto, -s 124
getrennt 81
r Gewinn, -e 121
s Gewitter, - 75, 76
gewöhnen $sich_A$ an jmd_A/etw_A 84, 94
gewöhnt 127
s Gift, -e 81, 82
r Giftstoff, -e 81
e Gitarre, -n 86
s Glas 81, 82, 122
r Glaube 116
gleichzeitig 75
r Golf 75
s Grab, ¨-er 109
s Grad, -e 74
s Gras 127
grausam 124
r Grenzübergang, ¨-e 106
gründen etw_A 103, 119
s Grundgesetz 104
r Grundlagenvertrag 105
s Grundstück, -e 82
s Grundwasser 81
im Grünen 118
e Gruppe, -en 124
gutbezahlt 91
r Güterzug, ¨-e 81
gut·tun jmd_D tat gut, hat gutgetan 84

H

r Handel 78, 113
s Handtuch, ¨-er 86
r Handwerker, - 114
r Hang, ¨-e 126
e Harfe, -n 123
e Hausfrau, -en 125
e Haustür, -en 126
e Haut 125
heben $sich_A$ hob, hat gehoben 126
e Heimat 91, 95
heim·kommen 126
r Heiratsurlaub 116
s oder r Hektar, - 126
hektisch 93
heraus·kommen kam heraus, ist herausgekommen 126
r Herbst 73, 75, 78
e Herbstmilch 125, 128
herrichten 127
herrschen 106
heuen 127
hinüber·fahren fährt h., fuhr h., ist hinübergefahren 106
s Hoch 75
s Hochdruckgebiet, -e 75
r Hof, ¨-e 114, 127
hPa = Hektopascal 75
r HSV 98
r Humpelbock 120
r Hunger 124, 126

I

ideal 75, 112, 116
impfen jmd_A 85, 86, 87
industriell 81
r Innenpolitik 98
interviewen jmd_A 83, 99

J

jedoch 105
r Jude, -en 124
e Jugendherberge, -n 91
r Jurist, -en 117

K

s Kabinett 101
r Kalte Krieg 105
e Kaltfront, -en 75
e Kammer, -n 127
s Kanapee, -s 126
kapitalistisch 105
e Karte, -n 79
e Katastrophe, -n 100
e Kellnerin, -nen 92
kirchlich 127
klagen über jmd_A/etw_A 84, 93
r Klatsch 100
e Knospe, -n 123
e Koalition, -en 101
e Kohletablette, -n 86
r Kommentar, -e 95
kommentieren etw_A 101
kommunistisch 105
s Kommunalparlament, -e 101
r Kompass, Kompasse 89
r Kompost 82, 83
kompostieren 83
e Kompostierung 81
e Konferenz, -en 100
e Königin, -nen 101
königlich 101
e Konsequenz, -en 113
konsumieren etw_A 80
s Konzept, -e 82
korrekt 93
r Kranz, ¨-e 119
r Kriminalroman, -e 124
r Kunststoff, -e 81, 82
kürzen etw_A 101, 118
r Kuss, Küsse 120

L

r Lack, -e 81
e Lage 112
Landes- 102
r Landkreis, -e 126
s Landleben 125
Landsleute (Plural) 94
r Landtag, -e 101, 102
Landtagswahlen (Plural) 101
längst 84
r Lastwagenverkehr 84
lebend- 95
r Lebensabend, -e 112
r Lebensbericht 128
Lebenserinnerungen (Plural) 125, 128
e Lebensgeschichte, -n 128
legal 107
e Leihgroßmutter, ¨- 119
letzte Woche 114
liberal 103, 104, 105
r Liebesbrief, -e 116
e Liebeserklärung, -en 117
e Liebesgeschichte, -n 118
liegen·bleiben (Sit) blieb liegen, ist liegengeblieben 99
logisch 93
Lokales 100
r Lokalteil, -e 98
e Lücke, -n 104
r Luftdruck 75
e Luftströmung, -en 75

M

e Magd, ¨-e 127
mähen etw_A 127
männlich 113
s Manuskript, -e 128
e Massendemonstration, -en 105
e Meeresluft 75
e Mehlspeise, -n 126
e Mehrheit, -en 101, 105, 113
e Mehrwertsteuer 101
Mein Gott! 120
e Meisterschaft, -en 100
e Menge, -n 81
e Messe, -n 87
s Militär 125, 127
e Milliarde, -n 101
r Minister, - 102
r Ministerpräsident, -en 101, 102
minus 75
e Mischung, -en 81
s Mitglied, -er 102, 104, 119
mit·machen (bei etw_A) 78
mit·schicken etw_A 110
mit·singen sang mit, hat mitgesungen 116
r Mitspieler, - 89
s Mittelgebirge, - 78, 79
mobil 82
e Mobilität 80
e Mode, -n 91, 92
e Modeboutique, -n 92

r Moment, -e 115
e Monarchie, -n 103
s Motiv, -e 91
s Motto, -s 82
e Mühle, -n 125
r Müll 80, 81, 82, 83
r Müllcocktail, -s 81
e Mülldeponie, -n 81
r Mülleimer, - 83
e Müllreduzierung 82
e Mülltonne, -n 82
e Mülltrennung 83
e Müllverbrennungsanlage, -n 81, 82

N

s Nachbarland, ¨-er 78
e Nachbarschaft, -en 119
e Nachbarsfamilie, -n 119
nach·machen *jmd*$_D$ *etw*$_A$ 117
nackt 92
nahe bei 126
in der Nähe von 96
nähen *etw*$_A$ 126
nähere 112
e Nahrung 126
national 102
nationalistisch 103
r Nationalsozialist, -en 127
e NATO 104
r Nazi, -s 127
r Nebel 74, 75, 76
nehmen *jmd*$_A$ nimmt, nahm, hat genommen 91
neutral 104
e Nichtraucherin, -nen 118
nie wieder 120
noch *etw*$_A$s 93
noch nicht 78
Nord-West 75
normalerweise 88

O

r Ofen, ¨- 114
offenbar 116
e Öffentlichkeit 120
ohnmächtig 106
ökologisch 106
e Operation, -en 98
e Opposition 101
e Oppositionsgruppe, -n 105
ordentlich 84, 96
organisieren *etw*$_A$ 119
r Ozean, -e 89

P

s Päckchen, - 99
r Pakt, -e 104
r Panzer, - 105
r Papst, ¨-e 124
s Papier 81, 89, 92
e Pappe 82
s Pärchen, - 120
parlamentarisch 103
e Parlamentskammer, -n 102, 103
e Partei, -en 97, 101, 103
r Pensionär, -e 112, 119
e Pensionierung 119
e Pfandflasche, -n 82
e Pflanzenerde 81
s Pflanzengift, -e 81
e Pflege 112
pflegen *jmd*$_A$ 109
s Pflegeheim, -e 112
s Pflegepersonal 113
r Plan, ¨-e 93
planen *etw*$_A$ 89
s Plastik 81, 82
r Plastikbecher, - 83
s Plastikgeschirr 82
e Plastiktüte, -n 81
r Plastiksack, ¨-e 82
e Plastikverpackung, -en 82
positiv 93, 104
r Poststreik, -s 99
s Praktikum, -Praktika 93, 95
um keinen Preis 120
r Preiskrieg, -e 98
e Presse 98, 101
e Pressekonferenz, -en 106
r Presslufthammer, ¨- 84
s Privatleben 91
r Privatzahler, - 112
r Problemmüll 81
produzieren *etw*$_A$ 81, 82, 113
r Protest, -e 105
psychologisch 124
r Pullover, - 86, 87

R

r Rauch 123
r Raucher, - 98
s Rauchgas, -e 81
raus·gehen ging raus, ist rausgegangen 126
reagieren 91
e Reaktion, -en 81
recyceln *etw*$_A$ 82
s Recycling 81, 82
e Reform, -en 101
s Regal, -e 114
e Regel, -n 91
e Regelung, -en 106
r Regen 74, 75, 76
r Regenschauer, - 75
r Regenwald, ¨-er 75
regieren 114
r Regierende Bürgermeister, - 106
e Regierung, -en 97, 101, 104
r Regierungschef, -s 102, 103
e Regierungskrise, -n 98, 100
regnen: es regnet 74
r Reim, -e 122
e Reisegruppe, -n 89
e Reisekrankenversicherung, -en 86
s Reisemagazin, -e 92
e Reiseplanung, -en 87
r Reiseprospekt, -e 86
r Reisescheck, -s 86, 87, 89
r Reisewetterbericht 76
r Rekord, -e 117
r Reporter, - 86, 99, 116
repräsentativ 102
e Republik, -en 79, 103, 104
reservieren *etw*$_A$ (für *jmd*$_A$) 85, 86, 87, 88
e Reservierung, -en 93
r Restmüll 82
retten 89
s Rezept, -e 124
riechen *etw*$_A$ roch, hat gerochen 84
röcheln 126
r Rohstoff, -e 81
r Roman, -e 124
rüber·schauen 120
e Rubrik, -en 98
r Rückblick, -e 117
r Rücktritt 101
r Rücktrittswunsch, ¨-e 101
r Ruf, -e 105
e Rundreise, -n 79
runter·hauen 126

S

e Sahara 89
s Salz 89, 125
r Sammelcontainer, - 82
e Sammelstelle, -n 81, 82
r Sand 122
satt haben *etw*$_A$ 126
e Sau, ¨-e 126
e Sauberkeit 80
sauer 128
schädlich 84
r Schadstoff, -e 82
schämen *sich*$_A$ 120
s Schaufenster, - 106
scheinen schien, hat geschienen 78
s Schema, -ta 102
e Scheu 91
e Schiffbauingenieurin, -nen 93
r Schirm, -e 86, 89
schlagen *jmd*$_A$ schlägt, schlug, hat geschlagen 124, 126
e Schlagzeile, -n 98, 100, 119
schließen *etw*$_A$ schloss, hat geschlossen 104
r Schlüssel, - 86
schmecken nach *etw*$_A$ 84
r Schnee 74, 75, 76, 78, 88
schneien: es schneit 74, 75, 122
r Schock, -s 124
e Schönheit 80
r Schoß 128
r Schreiner, - 114
Schulaufgaben (Plural) 110
e Schürze, -n 127
schütten *etw*$_A$ Dir 126
e Schwiegermutter, ¨- 127
e Schwierigkeit, -en 91

e See 78
s Sehnen 123
e Seife, -n 86, 89, 115
s Seil, -e 89
seitdem 107
s Sekretariat, -e 112
r Sekt 106
r Senior, -en 112
s Seniorenheim, -e 112
s Seniorentreffen, - 112
senken $sich_A$ 126
e Sensation, -en 106
e Sense, -n 127
sexuell 124
silbern 116
e silberne Hochzeit 109
sinnlos 81
r Skandal, -e 100
r Ski-Schuh, -e 87
r Smog 84
s Sofa, -s 69
sogar 93
so genannt- 82, 105, 120
r Sondermüll 82
r Sonnenschirmvermieter, - 92
sonnig 75, 76
sortieren 81, 82
so weit 105
sowjetisch 105
e Sowjetunion 104
sowohl … als auch … 91
s Sozialamt, ¨-er 112
r Sozialarbeiter, - 119
r Sozialdemokrat, -en 101
sozialdemokratisch 103, 105
sozialistisch 103, 105
sozialökonomisch 103
spanisch 101
später- 104, 116
speziell 82, 112
s Spielzeug 82
spontan 93
r Sprachkurs, -e 90
r Sprecher, - 106
springen sprang, ist gesprungen 123
r Staatsbesuch, -e 101
r Staatschef, -s 102, 103
e Stadtmitte 112
r Stadtrand 112
r Stadtteil, -e 99
s Stadtzentrum, -zentren 99
e Stallarbeit, -en 127
stammen 101, 117
standesamtlich 127
r Star, -s 98
e Statistik, -en 113
statt 119
steigen stieg, ist gestiegen 95, 113, 123
r Steuerskandal, -e 98
e Stimme, -n 101, 113
e Stimmung, -en 106
r Stoff, -e 81, 82
stolz 117
e Straßenbahn, -en 98
e Strecke, -n 81
streicheln jmd_A 124
s Streichholz, ¨-er 89
r Streik, -s 105
streiken 98, 100
e Studentendemonstration, -en 105
stundenlang 116
e Subvention, -en 101
Süd-West 75
Süddeutschland 75
r Südosten 78, 79
s System, -e 101

T

r Tänzer, - 118
r Tanzsalon, -s 117
s Taschentuch, ¨-er 82
e Tätigkeit, -en 119
e Tatsache, -n 72
tauchen 96
taumelbunt 123
Tausende 104, 105
r Teddybär, -en 86
s Telefonbuch, ¨-er 89
e Temperatur, -en 75, 76
e Theaterwissenschaft, -en 91, 92
s Thermometer, - 75
s Tief, -s 75
s Tiefdruckgebiet, -e 75
r Titel, - 122, 128
e Tonne, -n 81
e Traumehe, -n 116, 118
e Trauung, -en 127
treiben (Dir) trieb, hat getrieben 123
e Trennung, -en 117
trostlos 123
trunken 123
tschechisch 79
tüchtig 96
e Tüte, -n 82, 83

U

e Übelkeit 84
übergeben jmd_D etw_A übergibt, übergab, hat übergeben 127
überqualifiziert 91
überraschen jmd_A 78
überzeugen jmd_A 89
übrig·bleiben blieb übrig, ist übriggeblieben 126
um die Zeit 96
um zu 91
umweltbewusst 93
s Umweltbewusstsein 93
s Umweltproblem, -e 100
r Umweltschutz 82
unabhängig 104
und so weiter 120
ungesund 75
unkontrollierbar 81
unter uns 95
unterschreiben etw_A unterschrieb, hat unterschrieben 100, 104, 105
untersuchen etw_A 86
r Urlaubsplan, ¨-e 93, 96
r Urlaubstip, -s 92
e Ururenkelin, -nen 69
e Urgroßmutter, ¨- 69

V

verabreden $sich_A$ mit jmd_D 118
verabschieden $sich_A$ von jmd_D 105
s Verbrechen, - 100
verbrennen etw_A verbrannte, hat verbrannt 81, 82
e Verbrennung, -en 81
r Verein, -e 98, 115
s Vereinsmitglied, -er 119
e Verfassung, -en 101
e Verfassungsänderung, -en 101
e Vergänglichkeit 123
vergehn verging, ist vergangen 123
verkleinern etw_A 101
s Verlangen 123
verlängern etw_A 86, 87
r Verleger, - 128
verletzt 98
e Verletzung, -en 98
vermeiden etw_A vermeidet, vermied, hat vermieden 82
vermitteln jmd_D jmd_A/etw_A 119
e Vermittlungsgebühr, -en 119
e Verpackung, -en 81
verreisen 106, 117
verschiedene 78, 94
e Verschwendung 81
e Versicherungskarte, -n 86
r Verstand 94
verstehen etw_A unter etw_D verstand, hat verstanden 82
r Vertrag, ¨-e 104
e/r Verwandte (ein Verwandter), -n 95, 105, 107, 115
r Videofilm, -e 112
s Vieh 127
viertägig 101
s Visum, Visa 86, 90
r Vizepräsident, -en 100
s Volk, ¨-er 102, 106
e Volksfeststimmung 106
r Volkslauf, ¨-e 119
s Volkslied, -er 79
vorbei 93, 116, 125
e Vorhersage, -n 75
vorige 88
r Vorort, -e 112
r Vorschlag, ¨-e 101
vor·schlagen (jmd_D) etw_A schlägt vor, schlug vor, hat vorgeschlagen 104

W

wachen 123
e Waffengewalt 104
e Wahl, -en 101, 103
r Wähler, - 102
s Wahlgesetz 101
s Wahlrecht 98, 101

Y

Z

zu Seite 103, Politik-Quiz: 1 b, 2 a, 3 a, 4 b, 5 c, 6 b, 7 c, 8 b (2003)

Bildquellenverzeichnis

Seite 73: Hintergrundfoto: MHV-Archiv (MEV)
Seite 74: Fotos A, B, D, E: MHV-Archiv (MEV); C: WDR/Schukow (aus dem Film: Östlich der Sonne von Klaus Bednarz)
Seite 76: Foto links: MHV-Archiv (Wilfried Völker) mit bestem Dank der Familie Kittlitz; rechts: Foto Huber, Radolfzell
Seite 77: alle Fotos: Thomas Bichler, Radolfzell
Seite 81: Foto Mitte: C. F. Maier Europlast, Königsbronn; unten: Bernhard Lang, München
Seite 83: Foto unten rechts: Werner Bönzli, Reichertshausen; links: C. F. Maier Europlast, Königsbronn
Seite 85: Paßkontrolle: dpa; Reisebus: Neoplan, Stuttgart; Fähre: Stena Line, Düsseldorf
Seite 86: Teddybär: Steiff AG; Kohletabletten: www.sanashop.com
Seite 89: Südsee, Wüste: MHV-Archiv (MEV); Antarktis: Arved Fuchs Expeditionen; Bad Bramstedt; alles andere: Prospektmaterial
Seite 90: Foto unten: MHV-Archiv (Chr. Regenfus)
Seite 91: Südfrankreich, Italien: MHV-Archiv (MEV); London: MHV-Archiv (E. Friedrich); 3 Porträts: MHV-Archiv (Werner Bönzli)
Seite 93: Fotos: MHV-Archiv (Chr. Regenfus)
Seite 97: Reichstag: © Presse- und Informationsamt der Bundesregierung/Bundesbildstelle
Seite 99: Feuerwehr: Berufsfeuerwehr München; Ausländerdemo, Poststreik: dpa; Stadtteil: MHV-Archiv (MEV); Junge: Werner Bönzli, Reichertshausen
Seite 100: Öltanker Öltanker, Streik, Unfall, Krieg: dpa; Konzert: Rockprojekt Wuppertal (Kalle Waldinger); Fußball: Foto Rauchensteiner, München
Seite 102: Länderwappen mit freundlicher Genehmigung der 16 Länderregierungen
Seite 104/105/106/107: dpa
Seite 107: Foto unten: MHV-Archiv (MEV)
Seite 109: Fotos Mitte: Werner Bönzli, Reichertshausen
Seite 110: Eva, Wilhelm, Franz: Anahid Bönzli, Tübingen
Seite 116/117: Der Verlag bedankt sich ganz herzlich bei dem Ehepaar Süß (links), dem Ehepaar Rothärmel (oben) und dem Ehepaar Schattenkirchner (unten) für die freundliche Untersützung der Fotorecherche
Seite 121/122: Werner Bönzli, Reichertshausen
Seite 121: Goethe-Büste: Stiftung Weimarer Klassik, Goethe-Nationalmuseum
Seite 123: Gedicht von Berthold Brecht aus: Werke. Große kommentierte Berliner und Frankfurter Ausgabe, Band 12. © Suhrkamp Verlag, Frankfurt/Main 1988; Gedicht von Hermann Hesse aus: Sämtliche Werke, Band 10: Die Gedichte. © Suhrkamp Verlag, Frankfurt/Main 2001
Seite 124: Freddy Hausmann: Wie Sonne & Mond... Tag & Nacht. Umschlagbild von Peter-Andreas Hassiepen. © Deutscher Taschenbuch Verlag, München 2002; Henning Mankell: Die Rückkehr des Tanzlehrers (Aus dem Schwedischen von Wolfgang Butt) © Paul Zsolnay Verlag, Wien 2002; Marcel Reich-Ranicki: Mein Leben. © Deutsche Verlagsanstalt, München 2001; Robert Hilble, Gabriele Langfeldt-Feldmann: Faszinierende Koi. © Kosmos Verlag, Suttgart 2000; Sabine Sälzer, Sebastian Dickhaus: Basic Cooking, © Gräfe und Unzer, München 2000; Irina Korschunow: Von Juni zu Juni, © Hoffmann und Campe Verlag, Hamburg 1999;
Seite 125ff: Abbildung und Text: © Piper Verlag GmbH, München 1984; Foto: Bettina Böhmer, München
Seite 128: Fotos: DIF Deutsches Filminstitut, Frankfurt
Gerd Pfeiffer, München: Seite 73 (4), 81 (oben), 83 (6), 85 (4), 86, 87 (4), 88, 89, 90, 94, 98, 99 (Stau), 103, 109 (5), 110 (1), 111, 112, 116 (1), 117 (2).

Wir haben uns bemüht alle Inhaber von Bildrechten ausfindig zu machen. Sollten Rechteinhaber hier nicht aufgeführt sein, so wäre der Verlag für entsprechende Hinweise dankbar.
Der Verlag bedankt sich bei allen Beteiligten, die sich mit viel Engagement für Fotoaufnahmen zur Verfügung gestellt haben.

DEUTSCH ALS FREMDSPRACHE NIVEAUSTUFE A2

Themen 2 aktuell

Arbeitsbuch

LEKTION 6-10

Inhalt

Vorwort

In diesem Arbeitsbuch zu „Themen aktuell 2“ werden die wichtigen Redemittel jeder Lektion einzeln herausgehoben und ihre Bildung und ihr Gebrauch geübt. Alle Übungen sind einzelnen Lernschritten im Kursbuch zugeordnet.

Jeder Lektion ist eine Übersicht über den Wortschatz und die Grammatikstrukturen vorangestellt, die in der betreffenden Lektion gelernt werden. In die Wortschatzliste sind auch Wörter aufgenommen, die schon in „Themen aktuell 1“ eingeführt wurden und in diesem Band wiederholt werden. Die Übersichten sind sowohl eine Orientierungshilfe für die Kursleiterin oder den Kursleiter als auch eine Möglichkeit der Selbstkontrolle für die Lernenden: Nach Durchnahme der Lektion sollte ihnen kein Eintrag in der Wortliste und der Zusammenstellung der Grammatikstrukturen mehr unbekannt sein. Die Autoren empfehlen nicht, diese Liste als solche auswendig zu lernen – das Durcharbeiten der Übungen, auch mehrfach, setzt einen effizienteren Lernprozess in Gang.

Zu den meisten Übungen gibt es im Schlüssel eine Lösung. Dies ermöglicht es den Lernenden, selbstständig zu arbeiten und sich selbst zu korrigieren. Zusammen mit dem Kursbuch und evtl. einem Glossar kann dieses Arbeitsbuch dazu dienen, versäumte Stunden selbstständig nachzuholen.

Die Übungen dieses Arbeitsbuchs können im Kurs vor allem nach Erklärungsphasen in Stillarbeit eingesetzt werden. Je nach den Lernbedingungen der Kursteilnehmer können die Übungen aber auch weitgehend in häuslicher Einzelarbeit gemacht werden. (Über die Möglichkeit, die Lösungen aus dem Schlüssel abzuschreiben, sollte man sich nicht allzu viele Gedanken machen. Oft ist der Lernerfolg dabei fast ebenso groß. Manche Lernende lassen sich von dem Argument überzeugen, dass das Abschreiben meistens wesentlich mühsamer ist als ein selbstständiges Lösen der Aufgabe.)

Nicht alle Übungen lassen sich im Arbeitsbuch selbst lösen; für manche Übungen wird also eigenes Schreibpapier benötigt.

Verfasser und Verlag

Wortschatz

Verben

denken an 78
feiern 82
fließen 78
herstellen 81
mitmachen 78
mitnehmen 82
produzieren 81
regnen: es regnet 74
scheinen 78
schneien: es schneit 74
trennen 81
überraschen 78
verbrennen 81
wegwerfen 80
werfen 81
zeigen 75

Nomen

r Abfall, ¨e 81
r Ausflug, ¨e 76
r Bach, ¨e 77
r Bäcker, - 82
r Berg, -e 77
r Boden 74
e/r Deutsche, -n (ein Deutscher) 79
s Dorf, ¨er 77
e Dose, -n 81
s Drittel, - 81
s Eis 74
e Energie, -n 81
s Feld, -er 77
r Filter, - 81
s Fleisch 81
r Fluss, ¨e 77
r Frühling 79
s Gebirge, - 77
s Getränk, -e 80
s Gewitter, - 75
s Gift, -e 81
s Grad, -e 74
e Grenze, -n 78
r Handel 78
r Herbst 75
r Hügel, - 77
e Industrie, -n 78
e Insel, -n 77
r Käse 81
s Klima 74
r Kunststoff, -e 81
s Land, ¨er 76
e Landkarte, -n 79
e Limonade, -n 81
e Lösung, -en 81
e Luft 81
r März 78
s Meer, -e 75
e Menge, -n 81
r Meter, - 75
r Nebel 74
r Norden 75
r Osten 78
(s) Österreich 76
s Papier 81
r Park, -s 77
e Party, -s 82
e Pflanze, -n 74
s Plastik 81
r Rasen 77
r Regen 74
r Saft, ¨e 82
e Schallplatte, -n 79
s Schiff, -e 75
r Schnee 74
r Schnupfen 82
e See 77
r Sommer 75
e Sonne, -n 74
r Stoff, -e 81
r Strand, ¨e 77
e Strecke, -n 81
r Süden 78
s Tal, ¨er 77
s Taschentuch, ¨er 82
r Teil, -e 81
e Temperatur, -en 76
e Tonne, -n 81
s Ufer, - 77
r Wald, ¨er 77
r Wein, -e 79
r Westen 78
r Wetterbericht, -e 75
e Wiese, -n 77
r Wind 74
r Winter 75
e Woche, -n 75
r Wohnort, -e 76
e Wurst, ¨e 81
e Zeichnung, -en 82

Adjektive

allmählich 75
besser 78
deutsch 78
erste 76
flach 78
folgend 74
gleichzeitig 75
heiß 74
herrlich 78
ideal 75
kalt 74
kühl 74
meist- 82
nass 74
persönlich 78
plötzlich 75
sonnig 76
stark 75
täglich 81
trocken 74
typisch 75
warm 74
zweite 76

Funktionswörter

durch 78
wenige 75
zwischen 75

LEKTION 6

Ausdrücke

am Tage 75	es regnet 74	gegen Mittag 75	noch nicht 78
baden gehen 76	es schneit 74	immer noch 82	übrig bleiben 82
den ganzen Tag 75	etwas gegen den Müll tun 82	jeden Tag 75	von … nach … 78
es gibt 75		jedes Jahr 82	
es ist heiß 75	gar nichts 83	noch mehr 82	

Grammatik

Unpersönliches Pronomen „es" (§ 14)

Es ist	kalt.	Es ist	trocken.	Es	regnet.
	kühl.		feucht.		schneit.
	warm.		nass.		
	heiß.				

<u>Stimmt es</u>, dass Burglind geheiratet hat?
<u>Es ist schade</u>, dass ihr nicht da wart.
<u>Dauert es</u> noch lange?
<u>Es gibt</u> hier nur selten Nebel.
Wie <u>geht's</u>? – <u>Es geht</u>.

Relativsatz (§ 13 und 29)

Welcher See?	Der See, <u>der</u> zwischen Deutschland und der Schweiz liegt.
Welche Stadt?	Die Stadt, <u>deren</u> Kirche man von hier sehen kann.
Welches Gebirge?	Das Gebirge, durch <u>das</u> die Weser fließt.
Welche Antworten?	Die Antworten, mit <u>denen</u> man einen Preis gewinnen kann.

Maskulinum		*Femininum*		*Neutrum*		*Plural*	
der Fluss,	der	die Landschaft,	die	das Tal,	das	die Berge,	die
	den		die		das		die
	dem		der		dem		<u>denen</u>
	<u>dessen</u>		<u>deren</u>		<u>dessen</u>		<u>deren</u>

1. Welche Adjektive passen am besten?

Nach Übung 1 im Kursbuch

a) Herbst, Regen, 8° C: __________ und __________
b) Sommer, 35° C, Sonne: __________ und __________
c) Winter, Schnee, –8° C: __________
d) Herbst, Nebel, 9° C: __________ und __________
e) Frühling, Sonne, 20° C: __________ und __________

trocken warm kühl heiß nass kalt feucht

2. Wie ist das Wetter? Was kann man sagen?

Nach Übung 2 im Kursbuch

stark angenehm groß freundlich schön billig gut schlecht mild
höflich hübsch unfreundlich unangenehm nett glücklich gleichzeitig

Das Wetter ist
angenehm, ... ______________________________

3. Ordnen Sie.

Nach Übung 2 im Kursbuch

Landschaft/Natur	Wetter

Tier Pflanze Gewitter Grad Meer
Regen Berg Klima Blume Insel
Wind See Strand Fluss Wald
Wolke Schnee Eis Boden Wiese
Sonne Park Nebel Baum

4. Drei Wörter passen nicht.

Nach Übung 2 im Kursbuch

a) Der Regen ist | sehr / ziemlich / furchtbar / viel / zu viel / ganz / besonders / ein paar | stark.

c) Gestern gab es | viel / sehr / wenig / etwas / ein bisschen / besonders / ganz / keinen | Regen.

b) Es gibt hier | viele / ein bisschen / wenige / keine / sehr / ein paar / einige / zu viele / besonders | Tiere.

d) Es gibt hier | nie / selten / oft / ganz / wenig / keinen / häufig / manchmal / einige / zu viele | Regen.

Nach Übung 2 im Kursbuch

5. Sagen Sie es anders. Verwenden Sie die folgenden Wörter.

es gibt …	es geht …	es regnet …	es schneit …	es klappt …	es ist …

a) In Bombay kennt man keinen Schnee.
In Bombay __________________ nie.
b) Der Regen hat aufgehört. Wir können jetzt schwimmen gehen.
__________________ nicht mehr. Wir können jetzt schwimmen gehen.
c) Hör mal! Da kommt gleich ein Gewitter.
Hör mal! Gleich __________________ ein Gewitter.
d) Heute habe ich keine Zeit.
Heute __________________ nicht.
e) Das Telefon ist immer besetzt. Du hast vielleicht mehr Glück, wenn du später anrufst.
Das Telefon ist immer besetzt. Vielleicht __________________ , wenn du später anrufst.
f) Das Wetter ist so kalt, dass die Kinder nicht im Garten spielen können.
__________________ , dass die Kinder nicht im Garten spielen können.
g) Wo kann man hier telefonieren?
Wo __________________ hier ein Telefon?

Nach Übung 2 im Kursbuch

6. Ergänzen Sie.

Die Pronomen „er“, „sie“ und „es“ bedeuten in einem Text gewöhnlich ganz bestimmte Sachen, zum Beispiel „der Film“ = „er“, „die Rechnung“ = „sie“ oder „das Hotel“ = „es“. Das Pronomen „es“ kann aber auch eine allgemeine Sache bedeuten, zum Beispiel „Es ist sehr kalt hier“ oder „Es schmeckt sehr gut“. Ergänzen Sie in den folgenden Sätzen die Pronomen „er“, „sie“ und „es“.

a) Wie hast du die Suppe gemacht? _______ schmeckt ausgezeichnet.
b) Dein Mann kocht wirklich sehr gut. _______ schmeckt ausgezeichnet.
c) Seit drei Tagen nehme ich Tabletten. Trotzdem tut _______ noch sehr weh.
d) Ich kann mit dem rechten Arm nicht arbeiten. _______ tut sehr weh.
e) Ich habe die Rechnung geprüft. _______ stimmt ganz genau.
f) Du kannst mir glauben. _______ stimmt ganz genau.
g) Sie brauchen keinen Schlüssel. _______ ist immer auf.
h) Es gibt keinen Schlüssel für diese Tür. _______ ist immer auf.
i) Morgen kann ich kommen. Da passt _______ mir sehr gut.
j) Dieser Termin ist sehr günstig. _______ passt mir sehr gut.
k) Der Spiegel war nicht teuer. _______ hat nur 14 Euro gekostet.
l) Ich habe nicht viel bezahlt. _______ hat nur 14 Euro gekostet.
m) Können Sie bitte warten? _______ dauert nur noch 10 Minuten.
n) Der Film ist gleich zu Ende. _______ dauert nur noch zehn Minuten.

In welchen Sätzen wird das allgemeine Pronomen „es“ verwendet?

a)	b)	c)	d)	e)	f)	g)	h)	i)	j)	k)	l)	m)	n)

7. Ordnen Sie.

Nach Übung 2 im Kursbuch

~~plötzlich~~ ~~für wenige Wochen~~ ~~jeden Tag~~ ~~gegen Mittag~~ langsam täglich
im Herbst nachts am Tage jedes Jahr manchmal selten allmählich
fünf Jahre ein paar Monate zwischen Sommer und Winter wenige Tage

wie?	wie oft?	wann?	wie lange?
plötzlich,	*jeden Tag,*	*gegen Mittag,*	*für wenige Wochen*

8. Ergänzen Sie.

Nach Übung 4 im Kursbuch

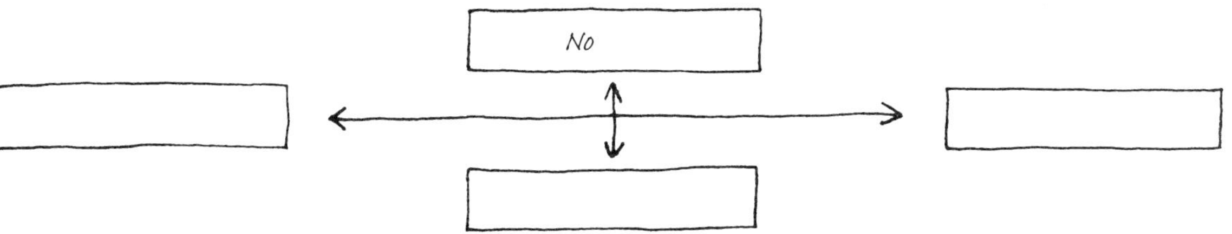

9. Ergänzen Sie.

a) Juni, Juli, August = ________________
b) September, Oktober, November = ________________
c) Dezember, Januar, Februar = ________________
d) März, April, Mai = ________________

10. Ergänzen Sie.

am Nachmittag früh am Morgen spät am Abend
am Mittag vor zwei Tagen in zwei Tagen

a) vorgestern – ________________
b) spätabends – ________________
c) mittags – ________________
d) übermorgen – ________________
e) frühmorgens – ________________
f) nachmittags – ________________

11. Was passt?

am späten Nachmittag am Abend am Mittag am frühen Nachmittag
früh abends spätabends frühmorgens am frühen Vormittag

a) 12.00 Uhr – *am Mittag*
b) 18.30 Uhr – ________________
c) 23.00 Uhr – ________________
d) 13.30 Uhr – ________________
e) 17.30 Uhr – ________________
f) 6.00 Uhr – ________________
g) 8.00 Uhr – ________________
h) 20.00 Uhr – ________________

Nach Übung 4 im Kursbuch

12. Ergänzen Sie.

Heute ist Sonntag. Dann ist (war) …

a) gestern Mittag: *Samstagmittag* ______

b) vorgestern Mittag: ______

c) übermorgen Abend: ______

d) morgen Vormittag: ______

e) morgen Nachmittag: ______

f) gestern Morgen: ______

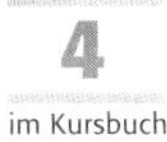

13. Was passt wo? Ordnen Sie.

selten nie im Winter bald nachts ein paar Minuten kurze Zeit
oft vorige Woche den ganzen Tag einige Jahre damals vorgestern 7 Tage
jetzt früher letzten Monat am Abend nächstes Jahr immer heute Abend
frühmorgens heute sofort jeden Tag gegen Mittag gleich für eine Woche
um 8 Uhr am Nachmittag wenige Wochen diesen Monat fünf Stunden
am frühen Nachmittag meistens am Tage manchmal mittags morgen

Wann?	Wie oft?	Wie lange?
im Winter	*selten*	*ein paar Minuten*

Nach Übung 4 im Kursbuch

14. Wann ist das? Wann war das?

nächst- dies- vorig-/letzt-

Heute ist Dienstag, der 13. Oktober 2003.

a) November 2003? *nächsten Monat* ______

b) 2002? ______

c) 22. Oktober 2003? ______

d) 2004? ______

e) September 2003? ______

f) Oktober 2003? ______

g) 2003? ______

h) 5. Oktober 2003? ______

15. Ihre Grammatik. Ergänzen Sie die Zeitangaben im Akkusativ.

der Monat	die Woche	das Jahr
den ganz*en*______ Monat	die ganz______ Woche	das ganz______ Jahr
letzt______ Monat	letzt______ Woche	letzt______ Jahr
vorig______ Monat	vorig______ Woche	vorig______ Jahr
nächst______ Monat	nächst______ Woche	nächst______ Jahr
dies______ Monat	dies______ Woche	dies______ Jahr
jed______ Monat	jed______ Woche	jed______ Jahr

Nach Übung 6 im Kursbuch

16. Schreiben Sie.

a) Andrew Stevens aus England schreibt an seinen Freund John:
- ist seit 6 Monaten in München
- Wetter: Föhn oft schlimm
- bekommt Kopfschmerzen
- kann nicht in die Firma gehen
- freut sich auf England

Schreiben Sie die zwei Karten zu b) und c).

Lieb ...
ich ... Hier ... so ..., dass ...
Dann ... Deshalb ...

Lieber John,

ich bin jetzt seit sechs Monaten in München. Hier ist der Föhn oft so schlimm, dass ich Kopfschmerzen bekomme. Dann kann ich nicht in die Firma gehen. Deshalb freue ich mich, wenn ich wieder zu Hause in England bin.

Viele Grüße,
Dein Andrew

b) Herminda Victoria aus Mexiko schreibt an ihre Mutter:
- ist seit 8 Wochen in Bielefeld
- Wetter: kalt und feucht
- ist oft stark erkältet
- muss viele Medikamente nehmen
- fährt in den Semesterferien zwei Monate nach Spanien

c) Benno Harms aus Gelsenkirchen schreibt an seinen Freund Karl:
- ist Lehrer an einer Technikerschule in Bombay
- Klima: feucht und heiß
- bekommt oft Fieber
- kann nichts essen und nicht arbeiten
- möchte wieder zu Hause arbeiten

Nach Übung 7 im Kursbuch

17. Was passt nicht?

a) See – Strand – Fluss – Bach
b) Tal – Hügel – Gebirge – Berg
c) Dorf – Stadt – Ort – Insel
d) Feld – Wiese – Ufer – Rasen

Nach Übung 11 im Kursbuch

18. Ergänzen Sie „zum Schluss", „deshalb", „denn", „also", „dann", „übrigens", „und", „da", „trotzdem" und „aber".

Warum nur Sommerurlaub an der Nordsee?

Auch der Herbst ist schön. Es ist richtig, dass der Sommer an der Nordsee besonders schön ist. ______ (a) kennen Sie auch schon den Herbst bei uns? ______ (b) gibt es sicher weniger Sonne, und baden können Sie auch nicht. ______ (c) gibt es nicht so viel Regen, wie Sie vielleicht glauben. Natur und Landschaft gehören Ihnen im Herbst ganz allein, ______ (d) die meisten Feriengäste sind jetzt wieder zu Hause. Sie treffen ______ (e) am Strand nur noch wenige Leute, ______ (f) in den Restaurants haben die Bedienungen wieder viel Zeit für Sie. Machen Sie ______ (g) auch einmal Herbsturlaub an der Nordsee. ______ (h) sind Hotels und Pensionen in dieser Zeit besonders preiswert. ______ (i) noch ein Tipp: Herbst bedeutet natürlich auch Wind. ______ (j) sollten Sie warme Kleidung nicht vergessen.

Nach Übung
11
im Kursbuch

19. Wo möchten die Leute wohnen?

a)

... nicht sehr tief ist. (1)
... nur wenige Leute kennen. (2)
... man segeln kann. (3)
... man gut schwimmen kann. (4)
... Wasser warm ist. (5)
... es viele Fische gibt. (6)
... es keine Hotels gibt. (7)
... es mittags immer Wind gibt. (8)

b)

Ich möchte auf einer Insel leben, ...

... ganz allein im Meer liegt.
... keinen Flughafen hat.
... nur wenige Menschen wohnen.
... es keine Industrie gibt.
... man nur mit einem Schiff kommen kann.
... Strand weiß und warm ist.
... es noch keinen Namen gibt.
... immer die Sonne scheint.

c)

... schöne Landschaften hat.
... das Klima trocken und warm ist.
... Sprache ich gut verstehe.
... die Luft noch sauber ist.
... man keinen Regenschirm braucht.
... sich alle Leute wohl fühlen.
... man immer interessant findet.
... Leute freundlich sind.

d)

... viele Parks haben.
... Straßen nicht so groß sind.
... noch Straßenbahnen haben.
... ein großer Fluss fließt.
... viele Brücken haben.
... man nachts ohne Angst spazieren gehen kann.
... sich die Touristen nicht interessieren.
... man sich frei fühlt.

an dem	auf dem	über der	deren	dessen	den	für die
durch die	zu der					in dem
für das	auf der	denen	in denen	die	der	das

a) *Ich möchte an einem See wohnen, der nicht sehr tief ist.* (1)
, den nur wenige Leute kennen. (2)
, auf ... (3)
_______________ (4)
_______________ (5)
_______________ (6)
_______________ (7)
_______________ (8)

b) ____________________

...

c) ...

d) ...

Ihre Grammatik. Ergänzen Sie die Sätze (1) bis (8) aus a).

	Vorfeld	$Verb_1$	Subjekt	Erg.	Angabe	Ergänzung	$Verb_2$	$Verb_1$ im Nebensatz
	Ich	*möchte*				*an einem See*	*wohnen,*	
(1)	*der*				*nicht*	*sehr tief*		*ist.*
(2)	______							
(3)	______							
(4)	______							
(5)	______							
(6)	______							
(7)	______							
(8)	______							

20. Welche Nomen passen zusammen?

Nach Übung **14** im Kursbuch

Gerät Fleisch Pflanze Temperatur Bäcker Tonne Abfall Gift Benzin Plastik
Strom Regen Schallplatte Käse Limonade Schnupfen Strecke Medikament

a) Maschine – ____________________
b) Müll – ____________________
c) Öl – ____________________
d) Erde – ____________________
e) Wasser – ____________________
f) Energie – ____________________
g) Tablette – ____________________
h) Kilogramm – ____________________
i) Gefahr – ____________________
j) Kunststoff – ____________________
k) 10 Grad – ____________________
l) 30 Kilometer – ____________________
m) Musik – ____________________
n) Getränk – ____________________
o) Brot – ____________________
p) Erkältung – ____________________
q) Wurst – ____________________
r) Milch – ____________________

Nach Übung 14 im Kursbuch

21. Herr Janßen macht es anders. Schreiben Sie.

a) kein Geschirr aus Kunststoff benutzen – nach dem Essen wegwerfen müssen
Er benutzt kein Geschirr aus Kunststoff, das man nach dem Essen wegwerfen muss.

b) Putzmittel kaufen – nicht giftig sein
c) auf Papier schreiben – aus Altpapier gemacht sein
d) kein Obst in Dosen kaufen – auch frisch bekommen können
e) Saft trinken – in Pfandflaschen geben
f) Tochter Spielzeug schenken – nicht so leicht kaputtmachen können
g) Brot kaufen – nicht in Plastiktüten verpackt sein
h) Eis essen – keine Verpackung haben
i) keine Produkte kaufen – nicht unbedingt brauchen

Nach Übung 14 im Kursbuch

22. Was für Dinge sind das?

a) Blechdose – *eine Dose aus Blech*
b) Teedose – *eine Dose für Tee*
c) Holzspielzeug – ________
d) Plastikdose – ________
e) Suppenlöffel – ________
f) Kunststofftasse – ________
g) Wassereimer – ________
h) Kuchengabel – ________
i) Weinglas – ________
j) Papiertaschentuch – ________
k) Glasflasche – ________
l) Brotmesser – ________
m) Suppentopf – ________
n) Kinderspielzeug – ________
o) Kaffeetasse – ________
p) Milchflasche – ________
q) Papiertüte – ________
r) Kleiderschrank – ________
s) Papiercontainer – ________
t) Steinhaus – ________
u) Steinwand – ________
v) Goldschmuck – ________

Nach Übung 14 im Kursbuch

23. Sagen Sie es anders.

a) Man wäscht die leeren Flaschen und füllt sie dann wieder.
Die leeren Flaschen werden gewaschen und dann wieder gefüllt.

b) Jedes Jahr werfen wir in Deutschland 30 Millionen Tonnen Abfall auf den Müll.
c) In vielen Städten sortiert man den Müll im Haushalt.
d) Durch gefährlichen Müll vergiften wir den Boden und das Grundwasser.
e) Ein Drittel des Mülls verbrennt man in Müllverbrennungsanlagen.
f) Altglas, Altpapier und Altkleider sammelt man in öffentlichen Containern.
g) Nur den Restmüll wirft man noch in die normale Mülltonne.
h) In vielen Regionen kontrolliert man den Inhalt der Mülltonnen.
i) Auf öffentlichen Feiern sollte man kein Plastikgeschirr benutzen.
j) Vielleicht verbietet man bald alle Getränke in Dosen und Plastikflaschen.

24. Was wäre, wenn?

Nach Übung 14 im Kursbuch

a) weniger Müll produzieren → weniger Müll verbrennen müssen
Wenn man weniger Müll produzieren würde, dann müsste man weniger Müll verbrennen.

b) einen Zug mit unserem Müll füllen → 12 500 Kilometer lang sein
c) weniger Verpackungsmaterial produzieren → viel Energie sparen können
d) alte Glasflaschen sammeln → daraus neue Flaschen herstellen können
e) weniger chemische Produkte produzieren → weniger Gift im Grundwasser und im Boden haben
f) Küchen- und Gartenabfälle sammeln → daraus Pflanzenerde machen können
g) weniger Müll verbrennen → weniger Giftstoffe in die Luft kommen

25. Was passt?

Nach Übung 14 im Kursbuch

mitmachen überraschen machen produzieren spielen verbrennen

a) einen Spaziergang / eine Party / Kaffee / das Mittagessen / das Radio lauter / den Rock kürzer / ein Bücherregal ______

b) mit den Kindern / Tennis / Theater / Klavier / Schach ______

c) das Papier im Ofen / den Müll / die Zeitungen / das Holz ______

d) Schreibmaschinen / Autos / Müll / Papier ______

e) meinen Bruder / Frau Ludwig / meine Chefin / meine Kollegin ______

f) bei einer Arbeit / bei einem Quiz / bei einem Spiel ______

26. Was passt am besten?

Nach Übung 14 im Kursbuch

scheinen baden gehen herstellen wegwerfen feiern übrig bleiben zeigen fließen

a) Sonne – ______
b) Müll – ______
c) Schwimmbad – ______
d) Rest – ______
e) Fluss – ______
f) Hochzeit – ______
g) Industrie – ______
h) Finger – ______

LEKTION 7

Wortschatz

Verben

- beantragen 86
- besorgen 86
- bestellen 86
- da sein 93
- denken 94
- einigen 89
- einwandern 95
- empfehlen 91
- erkennen 92
- erledigen 87
- fahren 87
- fliegen 86
- gelten 90
- gewöhnen 94
- glauben an 92
- klagen 94
- packen 86
- planen 89
- reinigen 86
- reisen 90
- reservieren 86
- retten 89
- steigen 95
- üben 87
- untersuchen 86
- verlassen 95
- vorschlagen 89
- waschen 86
- wiegen 86
- zumachen 86

Nomen

- e Änderung, -en 95
- e Apotheke, -n 86
- e Art, -en 91
- s Ausland 86
- r Ausländer, - 92
- r Ausweis, -e 86
- e Bahn, -en 86
- r Bauer, -n 95
- e Bedeutung, -en 94
- e Bedienung, -en 91
- e Besitzerin, -nen 92
- s Betttuch, ¨er 86
- s Blatt, ¨er 89
- r Bleistift, -e 89
- e Briefmarke, -n 89
- e Buchhandlung, -en 91
- s Camping 87
- (s) Deutschland 93
- e Diskussion, -en 95
- e Drogerie, -n 86
- s Einkommen, - 93
- e Erfahrung, -en 91
- e Fahrkarte, -n 86
- r Fahrplan, ¨e 86
- s Fenster, - 86
- r Flug, ¨e 87
- r Flughafen, ¨ 86
- s Flugzeug, -e 86
- r Fotoapparat, -e 89
- e Fremdsprache, -n 91
- e Freundschaft, -en 91
- r Gast, ¨e 91
- s Gefühl, -e 93
- s Handtuch, ¨er 86
- e Heimat 91
- s Hotel, -s 87
- e Jugendherberge, -n 91
- r Kaffee 86
- e Kellnerin, -nen 92
- r Koffer, - 86
- r Kontakt, -e 91
- r Krankenschein, -e 86
- r Lehrling, -e 91
- s Licht, -er 86
- e Liste, -n 87
- s Medikament, -e 86
- e Mode, -n 91
- e Natur 93
- r Pass, ¨e 86
- s Pech 88
- e Pension, -en 92
- s Pflaster 86
- e Presse 95
- e Regel, -n 91
- e Reise, -n 86
- s Salz 89
- r Schirm, -e 86
- r Schlüssel, - 86
- r Schnaps, ¨e 89
- r Schweizer, - 86
- e Schwierigkeit, -en 91
- e Seife, -n 86
- s Streichholz, ¨er 89
- e Tasche, -n 91
- s Telefonbuch, ¨er 89
- r Tourist, -en 92
- e/r Verwandte, -n (ein Verwandter) 95
- s Visum, Visa 86
- e Wäsche 86
- e Zahnbürste, -n 86
- e Zahnpasta, -pasten 86
- r Zweck, -e 88

Adjektive

- amerikanisch 90
- berufstätig 94
- durstig 92
- eben 91
- notwendig 89
- sozial 93
- vorig- 88
- zuverlässig 93

Adverbien

also 88
außerhalb 94
endlich 88
höchstens 93
normalerweise 88
oben 88
raus 91
überhaupt 94
unten 89
zurück 93

Funktionswörter

alles 91
damit 95
daran 94
darauf 91
derselbe 94
in 87
nicht nur ... sondern auch ... 93
ob 90
sondern 93
sowohl ... als auch ... 91
um ... zu ... 95
weder ... noch ... 88
wer 90
woher 86
wohin 86
zwar ... aber ... 90

Ausdrücke

Angst haben 91
dafür sein 89
die Prüfung bestehen 90
ein paar 90
ernst nehmen 91
für ... sein 95
genau das 93
immer mehr 95
immer wieder 90
noch etwas 93
noch immer 91
nur noch 94
vorbei sein 93
was für 92
wie groß 93

Grammatik

„zum" + Infinitiv (§ 32)

Wofür braucht man Wasser? – Wasser braucht man zum Kochen.
Die Zahnbürste ist zum Leben nicht unbedingt notwendig.
Den Fotoapparat lasse ich reparieren, der ist zum Wegwerfen zu schade.

Indirekter Fragesatz (§ 26)

Indirekte Satzfrage:	Die Leute fragen,	ob man eine Arbeitserlaubnis braucht.
Indirekte Wortfrage:	Sie möchten wissen,	wer eine Arbeitserlaubnis bekommt.
	Sag ihnen bitte,	wie man die Arbeitserlaubnis bekommt.
	Erklären Sie ihnen,	wohin man gehen muss.

Infinitiv mit „um zu"; Subjunktor „damit" (§ 24 und 31)

Herr Neudel wandert aus, damit er mehr verdienen kann.

die gleiche Person → Herr Neudel wandert aus, um mehr zu verdienen.

Herr Neudel wandert aus, damit seine Frau auch eine Stelle findet.

eine andere Person → *Kein Infinitiv mit „um zu" möglich!*

LEKTION 7

Nach Übung 2 im Kursbuch

1. Ergänzen Sie.

a) Nase : Taschentuch / Hand : ______________________________
b) starke Verletzung : Verband / kleine Verletzung : ______________________________
c) Hand : Seife / Zähne : ______________________________
d) Frau : Bluse / Mann : ______________________________
e) aufschließen : offen / abschließen : ______________________________
f) wie groß? : messen / wie schwer? : ______________________________
g) aufschließen : aufmachen / abschließen : ______________________________
h) D : Deutscher / CH : ______________________________
i) Sonne : Sonnenhut / Regen : ______________________________
j) Flugzeug : Flugplan / Zug : ______________________________
k) Lehrer : prüfen / Arzt : ______________________________
l) Fenster : zumachen / Licht : ______________________________
m) Auto : Motor / Taschenlampe : ______________________________
n) eigenes Land : Inland / fremdes Land : ______________________________
o) Auto : fahren / Flugzeug : ______________________________
p) Bahnhof : Bahn / Flughafen : ______________________________
q) kurz : Ausflug / lang : ______________________________
r) mit Wasser : Kleidung waschen / chemisch : ______________________________

Nach Übung 2 im Kursbuch

2. Was muss man vor einer Reise erledigen? Ordnen Sie.

Motor prüfen lassen, Wagen waschen lassen, Koffer packen, Heizung ausmachen, Fahrplan besorgen, Benzin tanken, Medikamente kaufen, sich impfen lassen, Geld wechseln, Fahrkarten holen, Fenster zumachen, Krankenschein holen, Reiseschecks besorgen, Hotelzimmer reservieren, Wäsche waschen

zu Hause	im Reisebüro	für das Auto	Gesundheit	Bank

Nach Übung 2 im Kursbuch

3. Was passt zusammen? Ordnen Sie. Einige Wörter passen zweimal.

Schirm, Herd, Flasche, Auto, Hemd, Haus, Tasche, Motor, Licht, Hotelzimmer, Auge, Koffer, Heizung, Ofen, Radio, Fernseher, Buch, Tür

ausmachen/anmachen	zumachen/aufmachen	abschließen/aufschließen

4. Ergänzen Sie.

Nach Übung 2 im Kursbuch

ein-	weg-	weiter-	mit-	zurück-	aus-

a) Die Milch war sauer. Ich musste sie leider ____________gießen.
b) Hast du Durst? Soll ich dir ein Glas Limonade ____________gießen?
c) Viel Spaß in Amerika! Am liebsten möchte ich ____________fliegen.
d) Ich bleibe drei Wochen in den USA. Am 4. Oktober fliege ich nach Hause ____________ .
e) Wenn Jugendliche Streit mit ihren Eltern haben, passiert es oft, dass sie von zu Hause ____________laufen.
f) Wir haben den gleichen Weg, ich kann bis zur Kirche ____________laufen.
g) Lass uns eine Pause machen. Ich kann nicht mehr ____________laufen.
h) Du fährst doch in die Stadt. Kannst du mich bitte ____________nehmen?
i) ● Ich habe gestern diese Strümpfe bei Ihnen gekauft, aber sie passen nicht.
■ Tut mir Leid, aber Strümpfe können wir nicht ____________nehmen.
j) Die Post war leider schon geschlossen. Ich kann das Paket erst morgen früh ____________schicken.
k) Wenn im Sommer das Hotel voll ist, müssen die Kinder des Besitzers ____________arbeiten.
l) Fußballspielen macht mir großen Spaß. Lasst ihr mich____________spielen?
m) ● Wollen die Kinder nicht zum Essen kommen?
■ Nein, sie wollen lieber ____________spielen.
n) Warum willst du denn diese Schuhe ____________werfen? Sie sind doch noch ganz neu!
o) Ich gehe ins Schwimmbad. Willst du ____________kommen?
p) Erich ist schon drei Wochen im Urlaub. Wann wollte er denn ____________kommen?
q) Wenn ich die Wohnung putze, will meine kleine Tochter immer ____________helfen.
r) Ich komme gleich, ich will nur noch mein Bier ____________trinken.
s) Ich habe gerade Tee gekocht. Willst du eine Tasse ____________trinken?
t) Wenn ich im Hotelzimmer bin, will ich erst duschen und dann in Ruhe meinen Koffer ____________packen.
u) Darf man ohne Visum in die USA ____________reisen?
v) Du musst jetzt schnell ____________steigen, sonst fährt der Zug ohne dich ab.
w) ● Verzeihung, ich möchte zum Rathausplatz. Muss ich an der nächsten Haltestelle ____________steigen?
■ Nein, sie müssen noch zwei Stationen ____________fahren.

5. „Lassen" hat verschiedene Bedeutungen.

Nach Übung 4 im Kursbuch

A. Meine Eltern lassen mich abends nicht alleine weggehen.
„lassen" = erlauben/zulassen, „nicht lassen" = verbieten
B. Ich gehe morgen zum Tierarzt und lasse den Hund untersuchen.
„lassen" = eine andere Person soll etwas machen, was man selbst nicht machen kann oder möchte

Welche Bedeutung (A oder B) hat „lassen" in den folgenden Sätzen?

a) Am Wochenende lassen wir die Kinder abends fernsehen.
b) Wo lassen Sie Ihr Auto reparieren?
c) Die Briefe lasse ich von meiner Sekretärin schreiben.
d) Sie lässt ihren Mann in der Wohnung nicht rauchen.
e) Du musst dir unbedingt die Haare schneiden lassen. Sie sind zu lang.
f) Lass mich kochen. Ich kann das besser.
g) Lass ihn doch Musik hören. Er stört uns doch nicht.
h) Ich möchte die Bremsen prüfen lassen.
i) Bitte lass mich schlafen. Ich bin sehr müde.

a)	b)	c)	d)	e)	f)	g)	h)	i)

Nach Übung 4 im Kursbuch

6. Sagen Sie es anders.

a) Eva darf im Büro nicht telefonieren. Ihr Chef will das nicht.
Ihr Chef lässt sie im Büro nicht telefonieren.
b) Ich möchte gern allein Urlaub machen, aber meine Eltern verbieten es.
c) Frau Taber macht das Essen lieber selbst, obwohl ihr Mann gerne kocht.
d) Rolfs Mutter ist einverstanden, dass er morgens lange schläft.
e) Herr Moser geht zum Tierarzt. Dort wird seine Katze geimpft.
f) Mein Pass muss verlängert werden.
g) Den Motor kann ich nicht selbst reparieren.
h) Ich habe einen Hund. Gisela darf mit ihm spielen.
i) Ingrid hat keine Zeit die Wäsche zu waschen. Sie bringt sie in die Reinigung.
j) Herr Siems fährt nicht gern Auto. Deshalb muss seine Frau immer fahren.

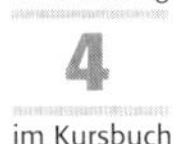
Nach Übung 4 im Kursbuch

7. Schreiben Sie einen Text.

Herr Schulz will mit seiner Familie verreisen. Am Tag vor der Reise hat er noch viel zu tun.

Zuerst geht Herr Schulz zum Rathaus. Dort werden die Pässe und die Kinderausweise verlängert. Dann geht er zum Tierarzt. Der untersucht die Katze. In die Autowerkstatt fährt er auch noch. Die Bremsen ziehen nach links und müssen kontrolliert werden. Im Fotogeschäft repariert man ihm schnell den Fotoapparat. Später hat er noch Zeit, zum Friseur zu gehen, denn seine Haare müssen geschnitten werden. Zum Schluss fährt er zur Tankstelle und tankt. Das Öl und die Reifen werden auch noch geprüft. Dann fährt er nach Hause. Er packt den Koffer selbst, weil er nicht möchte, dass seine Frau das tut. Dann ist er endlich fertig.

Schreiben Sie den Text neu. Verwenden Sie möglichst oft das Wort „lassen". Benutzen Sie auch Wörter wie „zuerst", „dann", „später", „schließlich", „nämlich", „dort" und „bei", „in", „auf", „an".
Zuerst lässt Herr Schulz im Rathaus die Pässe und die Kinderausweise verlängern.
Dann geht er ...

8. Was passt nicht?

Nach Übung 6 im Kursbuch

a) Ofen – Gas – Öl – Kohle
b) Bleistift – Schlüssel – Schreibmaschine – Kugelschreiber
c) Krankenschein – Pass – Ausweis – Visum
d) Streichholz – Zigarette – Blatt – Feuer
e) Salz – Topf – Dose – Flasche – Tasche
f) Film – Fotoapparat – Foto – Papier
g) Messer – Uhr – Gabel – Löffel
h) Seife – Metall – Plastik – Wolle
i) Handtuch – Wolldecke – Pflaster – Betttuch
j) Fahrrad – Flug – Autofahrt – Schiffsfahrt
k) Visum – Pass – Liste – Ausweis
l) Seife – Zahnpasta – Waschmaschine – Zahnbürste
m) Liste – Zweck – Grund – Ziel
n) Campingplatz – Hotel – Telefonbuch – Pension
o) notwendig – unbedingt – auf jeden Fall – normalerweise
p) oben – üben – über – unten – unter
q) Saft – Bier – Wein – Schnaps

9. Ergänzen Sie.

Nach Übung 6 im Kursbuch

bestellen überzeugen erledigen beantragen planen buchen retten einigen reservieren

a) Das Restaurant ist immer voll. Wir müssen einen Tisch __________ lassen.
b) Klaus hat seine Reise sehr genau __________ . Sogar das Taxi, das ihn vom Bahnhof zum Hotel bringen soll, hat er vorher bestellt.
c) Meine Urlaubsreisen __________ ich immer im Reisebüro in der Bergstraße. Die Angestellten dort sind sehr nett.
d) Das Visum für dieses Land muss man vier Wochen vor der Reise __________ .
e) Der Fotoapparat, den Sie möchten, ist leider nicht da. Ich kann ihn aber __________ . Das dauert ungefähr 10 Tage.
f) Am Anfang gab es sehr viele verschiedene Meinungen. Aber zum Schluss haben wir uns doch noch __________ .
g) Also gut, ich bin einverstanden. Du hast mich __________ .
h) Auf dem Rhein gab es gestern ein großes Schiffsunglück, aber alle Menschen konnten __________ werden.
i) Es ist zwar schon Feierabend, aber diese Arbeit müssen Sie unbedingt heute noch __________ .

10. Ergänzen Sie „nicht", „nichts" oder „kein-".

Nach Übung 6 im Kursbuch

a) Auf dem Mond braucht man __________ Kompass, auch ein Ofen würde dort __________ funktionieren.
b) Auf einer einsamen Insel braucht man bestimmt __________ Telefonbuch. Auch Benzin ist __________ notwendig, weil es dort __________ Autos gibt. Reiseschecks muss man auch __________ mitnehmen, denn dort kann man __________ kaufen, weil es __________ Geschäfte gibt.
c) In der Sahara regnet es __________ . Deshalb muss man auch __________ Schirm mitnehmen. Dort braucht man Wasser und einen Kompass, sonst __________ .

Nach Übung 6 im Kursbuch

11. Ordnen Sie.

Ich schlage vor, Benzin mitzunehmen.
Ich finde auch, dass wir Benzin mitnehmen müssen.
Wir sollten Benzin mitnehmen.
Ich meine, dass wir Benzin mitnehmen sollten.
Ich bin dagegen, Benzin mitzunehmen.
Benzin? Das ist nicht notwendig.
Stimmt! Benzin ist wichtig.
Ich finde es wichtig, Benzin mitzunehmen.
Es ist Unsinn, Benzin mitzunehmen.
Ich bin auch der Meinung, dass wir Benzin mitnehmen sollten.
Wir müssen unbedingt Benzin mitnehmen. Das ist wichtig.
Benzin ist nicht wichtig, ein Kompass wäre wichtiger.
Ich bin nicht der Meinung, dass Benzin wichtig ist.
Ich würde Benzin mitnehmen.
Ich bin einverstanden, dass wir Benzin mitnehmen.

etwas vorschlagen	die gleiche Meinung haben	eine andere Meinung haben
Ich schlage vor, Benzin mitzunehmen.	*Ich finde auch, dass wir Benzin mitnehmen müssen.*	*Ich bin dagegen, Benzin mitzunehmen.*

Nach Übung 6 im Kursbuch

12. Sagen Sie es anders.

a) Wenn man waschen will, braucht man Wasser.
Zum Waschen braucht man Wasser.

b) Wenn man kochen will, braucht man einen Herd.
c) Wenn man Ski fahren will, braucht man Schnee.
d) Wenn man schreiben will, braucht man Papier und einen Kugelschreiber.
e) Wenn man fotografieren will, braucht man einen Fotoapparat und einen Film.
f) Wenn man telefonieren muss, braucht man oft ein Telefonbuch.
g) Wenn man liest, sollte man gutes Licht haben.
h) Wenn man schlafen will, braucht man Ruhe.
i) Wenn man wandert, sollte man gute Schuhe haben.
j) Wenn ich lese, brauche ich eine Brille.

Nach Übung 6 im Kursbuch

13. Welches Fragewort passt?

a) *Wer / Wohin / Wo* kann ich eine Arbeitserlaubnis bekommen?
b) *Womit / Wie viel / Was* kann ich im Ausland am meisten Geld verdienen?
c) *Worauf / Warum / Womit* braucht man für die USA ein Visum?
d) *Wer / Woher / Woran* kann mir bei der Reiseplanung helfen?
e) *Wie / Wer / Was* finde ich im Ausland am schnellsten Freunde?
f) *Was / Wie viel / Wie* Gepäck kann ich im Flugzeug mitnehmen?
g) *Wann / Womit / Wo* lasse ich meine Katze, wenn ich im Urlaub bin?
h) *Wohin / Woher / Wofür* kann ich ohne Visum reisen?
i) *Was / Wer / Woher* bekomme ich alle Informationen?
j) *Woran / Wohin / Worauf* muss ich vor der Abreise denken?
k) *Wie / Was / Wo* muss ich machen, wenn ich im Ausland krank werde?

14. Sagen Sie es anders.

Nach Übung 7 im Kursbuch

a) Ute überlegt: Soll ich in Spanien oder in Italien arbeiten?
Ute überlegt, ob sie in Spanien oder in Italien arbeiten soll.

b) Stefan und Bernd fragen sich: Bekommen wir beide eine Arbeitserlaubnis?
c) Herr Braun möchte wissen: Wo kann ich ein Visum beantragen?
d) Ich frage mich: Wie schnell kann ich im Ausland eine Stelle finden?
e) Herr Klar weiß nicht: Wie lange darf man in den USA bleiben?
f) Frau Seger weiß nicht: Sind meine Englischkenntnisse gut genug?
g) Frau Möller fragt sich: Wie viel Geld brauche ich in Portugal?
h) Herr Wend weiß nicht: Wie teuer ist die Fahrkarte nach Spanien?
i) Es interessiert mich: Kann man in London leicht eine Wohnung finden?

Ihre Grammatik. Ergänzen Sie die Sätze b), c) und d).

	Junkt.	Vorfeld	$Verb_1$	Subjekt	Erg.	Angabe	Ergänzung	$Verb_2$	$Verb_1$ im Nebensatz
a)		*Ute*	*überlegt,*						
	ob			*sie*			*in Spanien oder in Italien*	*arbeiten*	*soll.*
b)		*S. und B.*							
c)									
d)									

15. Wie heißen die Wörter richtig?

Nach Übung 9 im Kursbuch

a) Ich möchte gern im ANDLAUS arbeiten. ________________
b) Er spricht keine DRACHEMSPREF. ________________
c) Ich wohne in einer JUNGBERGHEREDE. ________________
d) Jan und ich haben eine herzliche SCHEUDFRANFT. ________________
e) Er wohnt in Italien, aber seine HAMTEI ist Belgien. ________________
f) Hast du STANG, alleine in den Urlaub zu fahren? ________________
g) Sonja hat gestern ihre FUNGPRÜ bestanden. ________________
h) Thomas arbeitet noch nicht lange. Er hat erst wenig ERUNGFAHR in seinem Beruf. ________________
i) Ich möchte bestellen. Ruf bitte die NUNGDIEBE. ________________
j) In der LUNGHANDBUCH „Horn" kann man sehr gute Reisebücher kaufen. ________________
k) Ich bezahle das Essen. Sie sind mein STAG. ________________

Nach Übung 9 im Kursbuch

16. Was können Sie auch sagen?

a) *Ich möchte meine Freunde nicht aus den Augen verlieren.*
  - A Ich möchte meine Freunde nicht mehr sehen.
  - B Ich möchte nicht den Kontakt zu meinen Freunden verlieren.
  - C Ich schaue meinen Freunden immer in die Augen.

b) *Ulrike ist in die Stadt Florenz verliebt.*
  - A Ulrike mag Florenz ganz gern.
  - B Ulrike liebt einen jungen Mann aus Florenz.
  - C Ulrike findet Florenz fantastisch.

c) *Die Deutschen leben um zu arbeiten.*
  - A Für die Deutschen ist die Arbeit wichtiger als ein schönes Leben.
  - B Die Deutschen leben nicht lange, weil sie zu viel arbeiten müssen.
  - C In Deutschland kann man nur leben, wenn man viel arbeitet.

d) *Frankreich ist meine zweite Heimat.*
  - A Ich habe zwei Häuser in Frankreich.
  - B In Frankreich fühle ich mich wie zu Hause.
  - C Ich habe einen französischen Pass.

Nach Übung 9 im Kursbuch

17. Bilden Sie Sätze mit „um zu" und „weil".

a) Warum gehst du ins Ausland? (arbeiten/wollen)
Ich gehe ins Ausland, um dort zu arbeiten. ______
Ich gehe ins Ausland, weil ich dort arbeiten will. ______

b) Warum arbeitest du als Bedienung? (Leute kennen lernen/möchten)
c) Warum machst du einen Sprachkurs? (Englisch lernen/möchten)
d) Warum wohnst du in einer Jugendherberge? (Geld sparen/müssen)
e) Warum gehst du zum Rathaus? (Visum beantragen/wollen)
f) Warum fährst du zum Bahnhof? (Koffer abholen/wollen)
g) Warum fliegst du nach Ägypten? (Pyramiden sehen/möchten)

Nach Übung 9 im Kursbuch

18. Ergänzen Sie.

a) (Männer/tolerant) Die deutschen Frauen haben ______ ______
b) (Problem/ernst) Ich glaube, Maria hat ein ______ ______
c) (Ehemann/egoistisch) Sie hat einen ______ ______
d) (Freundschaft/herzlich) Wir haben eine ______ ______
e) (Leute/nett) Ich habe in Spanien ______ ______ getroffen.
f) (Gefühl/komisch) Zuerst war es ein ______ ______ , alleine im Ausland zu sein.
g) (Junge/selbständig) Peter ist erst 14 Jahre alt, aber er ist ein ______ ______
h) (Hund/dick) Ich sehe ihn jeden Tag, wenn er mit seinem ______ ______ spazieren geht.
i) (Mutter/alt) Sie wohnt bei ihrer ______ ______

19. Ergänzen Sie.

gleich	anders	ähnlich	verschieden	ander-	dieselbe

a)

b)

c)

a) Die Frau in Jeans ist ____________________ Frau wie die im Abendkleid.

b) Frau A und Frau B sehen ganz ____________________ aus, aber sie tragen die ____________________ Kleider.
(Frau A sieht ____________________ aus als Frau B, aber sie trägt das ____________________ Kleid wie Frau B.)

c) Die eine Frau ist klein, die ____________________ ist groß, aber sie tragen ____________________ Kleider.

Ihre Grammatik. Ergänzen Sie.

	Hut	Bluse	Kleid	Schuhe
Das ist/sind	*derselbe* *der gleiche* *ein anderer*			
Sie trägt	*de* *den glei* *einen and*			
Das ist die Frau mit	*de* *dem* *einem*			

Nach Übung 13 im Kursbuch

20. Ergänzen Sie.

Einkommen	Gefühl	Bedeutungen	Angst	Zweck	Schwierigkeiten	Erfahrung	Kontakt	Pech

a) Das Wort „Bank" hat zwei verschiedene ____________________ .
b) Franz hat ein sehr gutes ____________________ . Er verdient 4500 Euro im Monat.
c) Frau Weber arbeitet schon 15 Jahre in unserer Firma. Sie hat sehr viel ____________________ in ihrem Beruf.
d) Carlo wohnt schon sechs Jahre in Deutschland, aber er hat immer noch wenig ____________________ mit Deutschen.
e) Herr Drechsler hat großes ____________________ gehabt; drei Tage vor seinem Urlaub hatte er einen Autounfall.
f) Kannst du bitte etwas lauter sprechen? Ich habe ____________________ dich richtig zu verstehen.
g) Karin hat sich gut vorbereitet, trotzdem hat sie große ____________________ vor der Prüfung.
h) Ich weiß es nicht genau, aber ich habe das ____________________ , dass Alexandra sich verliebt hat.
i) Es hat keinen ____________________ Dirk anzurufen. Er ist nicht zu Hause.

Nach Übung 13 im Kursbuch

21. Was passt zusammen?

A	Die Städte sind sowohl sauber
B	Für Mütter mit kleinen Kindern gibt es weder Erziehungsgeld
C	Die Frauen müssen entweder nach drei Monaten Babypause zurück an den Arbeitsplatz,
D	In den Städten können sowohl Autos fahren
E	Die Frauen arbeiten nicht nur im Beruf,
F	Die Deutschen haben weder Zeit für sich selbst
G	Die Männer helfen nicht nur bei der Erziehung der Kinder,
H	Entweder müssen die Frauen berufstätig sein,

1	sondern auch bei der Hausarbeit.
2	als auch Radfahrer.
3	noch für andere Leute.
4	oder die Familie hat zu wenig Geld.
5	als auch menschenfreundlich.
6	oder sie verlieren ihre Stelle.
7	sondern machen auch die ganze Hausarbeit alleine.
8	noch eine Reservierung der Arbeitsstelle.

A	B	C	D	E	F	G	H

22. Bilden Sie Sätze mit „um ... zu" oder „damit".

Nach Übung 18 im Kursbuch

Warum ist Carlo Gottini nach Deutschland gekommen?

a) Er will hier arbeiten.
Er ist nach Deutschland gekommen, um hier zu arbeiten.

b) Seine Kinder sollen bessere Berufschancen haben.
Er ist nach Deutschland gekommen, damit seine Kinder bessere Berufschancen haben.

c) Er will mehr Geld verdienen.
d) Er möchte später in Italien eine Autowerkstatt kaufen.
e) Seine Kinder sollen Deutsch lernen.
f) Seine Frau muss nicht mehr arbeiten.
g) Er möchte in seinem Beruf später mehr Chancen haben.
h) Seine Familie soll besser leben.
i) Er wollte eine eigene Wohnung haben.

23. Was passt am besten?

Nach Übung 18 im Kursbuch

Mode, Regel, Diskussion, Schwierigkeit, Bedeutung, Presse, Ausländer(in), Gefühl, Lohn/Einkommen, Verwandte, Besitzer(in), Änderung, Bauer

a) hübsch aussehen – Kleidung – modern: ____________
b) Problem – Sorge – Ärger: ____________
c) Sprache – Spiel – Grammatik: ____________
d) Arbeit – Geld verdienen – Arbeitgeber – Arbeitnehmer: ____________
e) Meinungen – sprechen – dafür/dagegen sein – sich streiten: ____________
f) Zeitung – Zeitschrift: ____________
g) Wiesen – Kühe – Hühner – Land – Gemüse – Milch – Fleisch – Eier: ____________
h) Onkel – Tante – Bruder – Schwester – Großeltern: ____________
i) traurig – glücklich – mögen – hassen: ____________
j) gehören – Haus/Auto/... – eigen- – sein/mein/...: ____________
k) einwandern – im fremden Land wohnen – aus einem anderen Land kommen: ____________
l) anders machen – nicht wie immer machen: ____________
m) Wort – Lexikon – erklären – nicht kennen: ____________

Nach Übung 18 im Kursbuch

24. Ergänzen Sie „dass", „weil", „damit", „um ... zu", „oder", „zu". (Bei „zu" bleibt eine Lücke frei.)

Immer mehr Deutsche kommen in die ausländischen Konsulate, ________(a) sie auswandern wollen. Manche haben Angst, ________(b) arbeitslos ________(c) werden, andere wollen ins Ausland gehen, ________(d) ihre Familien dort freier leben können. Die meisten hoffen ________(e) in ihrem Traumland reich ________(f) werden. Aber viele vergessen, ________(g) auch andere Länder wirtschaftliche Probleme haben. ________(h) zum Beispiel nach Australien auswandern ________(i) können, muss man einen Beruf haben, der dort gebraucht wird. Auch in anderen Ländern ist es schwer, ________(j) eine Arbeitserlaubnis ________(k) bekommen. Man sollte sich also vorher genau informieren. Man muss auch ein bisschen Geld gespart haben, ________(l) man in der ersten Zeit im fremden Land leben kann. Man kann nicht sicher sein, ________(m) sofort eine Stelle ________(n) finden. Manche Auswanderer kommen enttäuscht zurück. Dieter Westphal zum Beispiel ist seit ein paar Monaten wieder in Deutschland. Er sagt: „Ich bin nach Kanada gegangen, ________(o) mehr Geld ________(p) verdienen. Das Leben dort ist nicht leicht. Ich hatte keine Lust mehr, ________(q) 60 Stunden ________(r) arbeiten, ________(s) 580 Dollar ________(t) verdienen. Erst jetzt weiß ich, ________(u) es den Deutschen eigentlich gut geht."

Nach Übung 18 im Kursbuch

25. Ergänzen Sie.

noch	schon	nicht mehr	noch nicht

a) Er hat gerade angefangen zu arbeiten. – Er arbeitet ______________________.
b) Seine Arbeit beginnt in zwei Stunden. – Er arbeitet ______________________.
c) Er macht heute später Feierabend. – Er arbeitet ______________________.
d) Er hat schon Feierabend. – Er arbeitet ______________________.

nichts mehr	schon etwas	noch etwas	noch nichts

e) Er hat sein Essen gerade bekommen. – Er hat ______________________.
f) Er wartet auf sein Essen. – Er hat ______________________.
g) Er möchte mehr essen. – Er möchte ______________________.
h) Er ist satt. – Er möchte ______________________.

noch immer	nicht immer	schon wieder	immer noch nicht

i) Obwohl sie wieder gesund ist, arbeitet sie nicht. – Sie arbeitet ______________________.
j) Obwohl sie noch krank ist, hat sie gestern angefangen zu arbeiten. – Sie arbeitet ______________________.
k) Obwohl sie müde ist, hört sie nicht auf zu arbeiten. – Sie arbeitet ______________________.
l) Sie arbeitet nur manchmal. – Sie arbeitet ______________________.

26. Ergänzen Sie.

Nach Übung 18 im Kursbuch

a) Hunger : hungrig / Durst : ______________________
b) Anfang : anfangen / Ende : ______________________
c) studieren : Student / Beruf lernen : ______________________
d) Geschäft : Verkäuferin / Restaurant : ______________________
e) keine Stelle haben : arbeitslos / eine Stelle haben : ______________________
f) nicht weniger : mindestens / nicht mehr : ______________________
g) ins Haus gehen : reingehen / das Haus verlassen : ______________________
h) Bücher : Buchhandlung / Medikamente : ______________________
i) jetzt : diese Woche / vor sieben Tagen : ______________________
j) nach unten : fallen / nach oben : ______________________

27. Ergänzen Sie die Verben und die Präpositionen.

Nach Übung 18 im Kursbuch

Kontakt finden, Schwierigkeiten haben, interessieren, sein, sagen, helfen, hoffen, beschweren, gewöhnen, denken, gelten, Angst haben, klagen, arbeiten, denken, sprechen

an, vor, zu, über, in, mit, auf, bei, für

a) Johanna hat an die Zeitschrift geschrieben, weil sie sich ________ eine Arbeitsstelle im Ausland ________________________ .
b) Das Gesetz ________________________ nicht nur ________ Deutschland, sondern auch ________ die anderen EU-Bürger in den anderen Staaten.
c) Ludwig________________________ seit acht Jahren ________ derselben Computerfirma.
d) Doris hat ________ ihrer Freundin ________ ihren Plan ________________________ .
e) Frauke ________________________ zuerst ein wenig ________________________ ________ den Franzosen, aber dann gefiel es ihr dort doch sehr gut.
f) Am Anfang kannte sie niemanden, aber dann hat sie schnell ________________________ ________ den Leuten ________________________ .
g) Eigentlich mag Simone England, aber sie ________________________ immer noch ________________________ ________ der kühlen Art der Engländer.
h) Viele Deutsche glauben, dass die Ausländer schlecht ________ sie ________________________ .
i) Kannst du mir morgen ________ der Arbeit im Garten ________________________ ?
j) Deutsche Frauen ________ sich zu viel ________ die Hausarbeit.
k) Maria Moro aus Italien meint, dass die Deutschen zu viel ________ die Arbeit und ________ Geld ________________________ .
l) Norbert hat sich schnell ________ das Leben in Portugal ________________________ .
m) Viele wandern aus, weil sie im Ausland ________ ein besseres Leben ________________________ .
n) Julio meint, dass die Deutschen zu viel ________ Probleme ________________________ , obwohl es ihnen eigentlich sehr gut geht.
o) Ich habe gehört, was du ________ meinen Plan ________________________ hast.
p) Ich ________________________ ________ deine Idee, nicht dagegen.

LEKTION 8

Wortschatz

Verben

annehmen 101
begleiten 101
beschließen 101
demonstrieren 99
entscheiden 104
entschließen 106
erinnern 105
erreichen 101
folgen 101
fordern 101
führen 101
gewinnen 100
nennen 103
öffnen 105
rufen 105
schließen 104
streiken 98
unterschreiben 100
verreisen 106
wählen 101

Nomen

e Armee, -n 104
r Aufzug, ⸚e 99
e Ausreise 105
r Bau 104
r Beginn 105
r Briefumschlag, ⸚e 99
r Bund 102
r Bürger, - 100
r Bus, -se 98
e DDR 104
e Demokratie, -n 103
e Demonstration, -en 100
e Deutsche Demokratische Republik 104
r Dienstag 101
e Diktatur, -en 105
r Einfluss, ⸚e 104
r Empfang, ⸚e 106
s Ende, -n 105
s Ereignis, -se 99
e Fabrik, -en 99
r Fahrer, - 98
s Feuer 99
r Fotograf, -en 107
e Frage, -n 101
r Friede 100
s Geschäft, -e 99
e Geschichte 105
e Gesellschaft 106
e Gruppe, -n 101
s Hochhaus, ⸚er 99
r Juli 101
s Kabinett, -e 101
e Katastrophe, -n 100
s Knie, - 98
e Koalition, -en 101
e Konferenz, -en 100
r König, -e 101
e Königin, -nen 101
s Krankenhaus, ⸚er 98
r Krieg, -e 98
e Krise, -n 98
e Macht 105
e Mauer, -n 104
r Minister, - 101
s Mitglied, -er 102
e Nachricht, -en 98
r November 106
r Oktober 101
e Operation, -en 98
e Opposition 105
r Ort, -e 105
s Päckchen, - 99
s Paket, -e 99
s Parlament, -e 98
e Partei, -en 101
e Politik 104
e Post 99
r Präsident, -en 101
r Protest, -e 105
s Rathaus, ⸚er 98
r Raucher, - 98
e Reform, -en 101
e Regierung, -en 98
s Schloss, ⸚er 101
e Seite, -n 98
r Sonntag, -e 101
r Sozialdemokrat, -en 101
r Sportplatz, ⸚e 98
r Staat, -en 103
s Stadion, Stadien 98
e Straßenbahn, -en 98
r Streik, -s 99
s System, -e 101
e Uhr, -en 106
e Umwelt 100
s Unglück 100
r Unterschied, -e 104
e Unterschrift, -en 105
e Verfassung 101
e Verletzung, -en 98
s Volk, ⸚er 102
r Vorschlag, ⸚e 101
e Wahl, -en 100
r Weg, -e 105
(s) Weihnachten 99
e Welt, -en 106
r Weltkrieg, -e 103
e Zahl, -en 101
e Zeitung, -en 98
s Ziel, -e 101
r Zoll 98

Adjektive

ausländisch 98
dankbar 106
demokratisch 105
eng 105
enttäuscht 98
international 101
kapitalistisch 105
kommunistisch 105
leer 98
liberal 103
national 102
politisch 105
sozialdemokratisch 103
sozialistisch 103
verletzt 98
völlig 104
wahrscheinlich 101
westlich 105
wirtschaftlich 104

Adverbien

allerdings 105	bisschen 106	noch 101
beinahe 106	lange 101	

Funktionswörter

außer 98	jedoch 105	während 104
gegen 98	ohne 98	wegen 98

Ausdrücke

ein Gespräch führen 101	immer größer 104	vor allem 104
	noch größer 101	wie oft 103

Grammatik

Präpositionen mit festem Kasus (§ 15)

für	*Akkusativ*	außer	*Dativ*	während	*Genitiv*
gegen		mit		wegen	*(oder Dativ)*
ohne		nach			
		seit			
		von			

Ausdrücke mit Präpositionen

Angst haben vor	*Dativ*	enttäuscht sein über	*Akkusativ*
einverstanden sein mit		froh sein über	
Erfolg haben mit		ideal sein für	
verheiratet sein mit		Lust haben auf	
überzeugt sein von		traurig sein über	
zufrieden sein mit		typisch sein für	
		Zeit haben für	

LEKTION 8

Nach Übung **5** im Kursbuch

1. Was ist hier passiert?

Stuttgart

a) *In Stuttgart ist ein Bus gegen einen Zug gefahren.*

Deggendorf

b) In Deggendorf ist ein Hund mit zwei Kopfen geboren.

Linz

c) In Linz ist ein Kind ohne Eltern gefunden. worden

Basel

d) In Basel ist ein ~~gros~~ Stau wegen schrecklische Schneefall.

New York

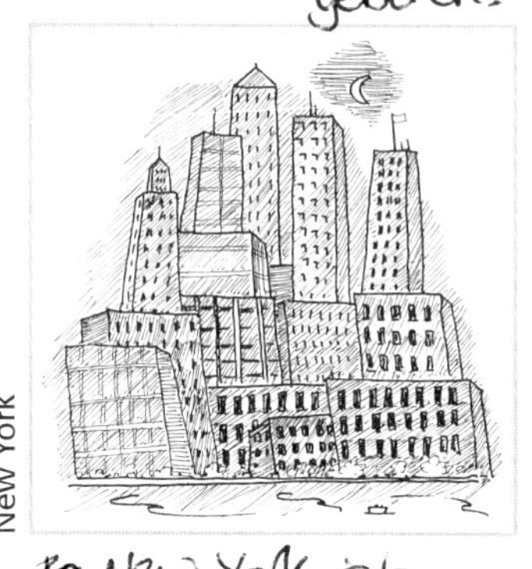

e) ~~In~~ New York ist ~~immer ohne~~ Strom.

Duisburg

f) In Duisburg is

Nach Übung **5** im Kursbuch

2. Was passt zusammen?

Aufzug – Beamter – Briefumschlag – Bus – Gas – Kasse – Lebensmittel – Öl – Wohnung – Päckchen – Paket – Pass – Stock – Straßenbahn – Strom – U-Bahn – Verkäufer – Zoll

a) Grenze ______ b) Heizung ______ c) Hochhaus ______ d) Post ______ e) Supermarkt ______ f) Verkehr ______

Nach Übung **5** im Kursbuch

3. Sagen Sie es anders. Verwenden Sie die Präpositionen „ohne", „mit", „gegen", „außer", „für" und „wegen". genitiv

a) Das Auto fährt, aber es hat kein Licht.

Das Auto fährt ohne Licht.

b) Ich habe ein Päckchen bekommen. In dem Päckchen war ein Geschenk.

______

c) Wir hatten gestern keinen Strom. Der Grund war ein Gewitter.

____

d) Diese Kamera funktioniert mit Sonnenenergie. Sie braucht keine Batterie.

____

e) Ich konnte gestern nicht zu dir kommen. Der Grund war das schlechte Wetter.

____

f) Jeder in meiner Familie treibt Sport. Nur ich nicht.

____

g) Der Arzt hat mein Bein operiert. Ich hatte eine Verletzung am Bein.

____

h) Ich bin mit dem Streik nicht einverstanden.

____

i) Die Industriearbeiter haben demonstriert. Sie wollen mehr Lohn.

____

j) Man kann nicht nach Australien fahren, wenn man kein Visum hat.

____

4. Ihre Grammatik. Ergänzen Sie.

Nach Übung 5 im Kursbuch

	ein Streik	eine Reise	ein Haus	Probleme
für	*einen Streik*			
gegen				
mit				
ohne				
wegen				
außer				

5. Was kann man nicht sagen?

Nach Übung 7 im Kursbuch

a) einen Besuch *machen / anmelden / geben / versprechen*
b) eine Frage *haben / verstehen / anrufen / erklären*
c) einen Krieg *anfangen / abschließen / gewinnen / verlieren*
d) eine Lösung *besuchen / finden / zeigen / suchen*
e) eine Nachricht *bekommen / kennen lernen / schicken / verstehen*
f) ein Problem *erklären / sehen / vorschlagen / verstehen*
g) einen Streik *verlieren / vorschlagen / wollen / verlängern*
h) einen Unterschied *machen / sehen / beantragen / kennen*
i) einen Vertrag *unterschreiben / abschließen / unterstreichen / feiern*
j) eine Wahl *gewinnen / feiern / verlieren / finden*
k) einen Weg *bekommen / kennen / gehen / finden*

Es gibt
Es gab
Es hat gegeben

Nach Übung 7 im Kursbuch

6. Wie heißt das Nomen?

a) meinen die Meinung
b) ändern die ~~Änderung~~ Veränderung
c) antworten die Antwort
d) ärgern der Ärger
e) beschließen der Beschluss (¨e)
f) demonstrieren die Demonstration.
g) diskutieren die Diskussion
h) erinnern die Erinnerung.
i) fragen die Frage n
j) besuchen der Besuch
k) essen das Essen
l) fernsehen der Fernsehen
m) operieren die Operation.
n) reparieren die Reparatur. en
o) regnen der Regen
p) schneien der Schnee
q) spazieren gehen der Spaziergang
r) sprechen die Sprache.
s) streiken der Streik
t) untersuchen die Untersuchung
u) verletzen die Verletzung
v) vorschlagen der Vorschlag ¨e
w) wählen die Wahl en
x) waschen die Wäsche
y) wohnen die Wohnung.
z) wünschen der Wunsch

Nach Übung 7 im Kursbuch

7. Ergänzen Sie „für", „gegen", „mit", „über", „von", „vor" oder „zwischen".

a) Im Fernsehen hat es eine Diskussion über die Umweltprobleme gegeben.
b) Deutschland hat einen Vertrag mit der Frankreich abgeschlossen.
c) Viele Menschen haben Angst vor einem Krieg.
d) Der Präsident von Kamerun hat die Schweiz besucht.
e) 30 000 Bürger waren auf der Demonstration ______ die neuen Steuergesetze.
f) Der Wirtschaftsminister hat den Vertrag ______ wirtschaftliche Kontakte ~~zwischen~~ mit Algerien unterschrieben.
g) Die Ausländer sind froh ______ das neue Gesetz.
h) Die Gewerkschaft ist ______ dem Vorschlag der Arbeitgeber zufrieden.
i) Der Unterschied zwischen der CDU und der CSU ist nicht groß.
j) Dieses Problem ist typisch für die deutsche Politik.

Nach Übung 11 im Kursbuch

8. Welche Wörter werden definiert?

Schulden Partei Steuern Wähler Koalition
Monarchie Minister Mehrheit Wahlrecht Abgeordneter

a) die meisten Stimmen = ______
b) das Recht ein Parlament zu wählen = ______
c) eine politische Gruppe = Partei
d) eine Regierung aus mehreren politischen Gruppen = Koalition
e) ein Mitglied eines Parlaments = ______
f) das Geld, das die Bürger dem Staat geben müssen = ______
g) ein Mitglied einer Regierung = ______
h) das Geld, das man von jemand geliehen hat = ______
i) alle Bürger, die ein Parlament wählen können = Wahlrecht
j) ein politisches System, in dem ein König der Staatschef ist = Monarchie

9. Was passt?

Nach Übung 11 im Kursbuch

Minister · Ministerpräsident · Landtag · Bürger · Präsident · Finanzminister

a) Bundesrepublik : Bundestag / Bundesland : ____________
b) Partei : Mitglied / Volk : ____________
c) Fabrik : Buchhalter / Staat : ____________
d) Monarchie : König / Republik : ____________
e) Bundesregierung : Bundeskanzler / Landesregierung : ____________
f) Parlament: Abgeordneter / Regierung : ____________

10. Ergänzen Sie.

Nach Übung 12 im Kursbuch

seit · zwischen · nach · in · von … bis · wegen · während · vor · für · gegen

a) ________ 1969 gab es keine politischen Kontakte zwischen der Bundesrepublik und der DDR.
b) Die Bundesrepublik und die DDR gab es ________ 1949.
c) ________ 1949 ________ 1963 war Konrad Adenauer Bundeskanzler.
d) Erst ________ dem „Kalten Krieg" gab es politische Gespräche zwischen den beiden deutschen Staaten.
e) ________ 1949 und 1969 war die Zeit des „Kalten Krieges".
f) ________ Jahr 1956 bekamen die beiden deutschen Staaten wieder eigene Armeen.
g) ________ des Ost-West-Konflikts gab es 1949 zwei deutsche Staaten.
h) Die Sowjetunion war 1952 ________ einen neutralen deutschen Staat.
i) Die West-Alliierten und die Bundesregierung waren 1952 ________ einen neutralen deutschen Staat.
j) ________ des „Kalten Krieges" gab es keine politischen Gespräche zwischen der DDR und der Bundesrepublik.

11. „Wann?" oder „wie lange?": Welche Frage passt?

Nach Übung 12 im Kursbuch

a) Anna hat vor zwei Tagen ein Baby bekommen.
b) Es hat vier Tage geschneit.
c) Während des Krieges war er in Südamerika.
d) Es regnet immer gegen Mittag.
e) Nach zweiundzwanzig Jahren ist er nach Hause gekommen.
f) Bis zu seinem sechzigsten Geburtstag war er gesund.
g) Ich habe eine halbe Stunde im Regen gestanden.
h) Er ist zweiundzwanzig Jahre in Afrika gewesen.
i) In drei Tagen macht er sein Abitur.
j) Seit drei Tagen hat er nichts gegessen.

	wann?	wie lange?
a)	X	
b)		
c)		
d)		
e)		
f)		
g)		
h)		
i)		
j)		

Nach Übung **12** im Kursbuch

12. Setzen Sie die Sätze ins Passiv.

a) In der DDR bestimmte die Sowjetunion die Politik.
In der DDR wurde die Politik von der Sowjetunion bestimmt.

b) Konrad Adenauer unterschrieb das Grundgesetz der BRD.
c) 1952 schlug die Sowjetunion einen Friedensvertrag vor.
d) Die West-Alliierten nahmen diesen Plan nicht an.
e) 1956 gründeten die DDR und die BRD eigene Armeen.
f) Seit 1954 feierte man den „Tag der deutschen Einheit".
g) In Berlin baute man 1961 eine Mauer.
h) Man schloss die Grenze zur Bundesrepublik.
i) Politische Gespräche führte man seit 1969.
j) Im Herbst 1989 öffnete man die Grenze zwischen Ungarn und Österreich.

13. Schreiben Sie die Zahlen.

a) neunzehnhundertachtundsechzig *1968*
b) achtzehnhundertachtundvierzig ______
c) neunzehnhundertsiebzehn ______
d) siebzehnhundertneunundachtzig ______
e) achtzehnhundertdreißig ______
f) sechzehnhundertachtzehn ______
g) neunzehnhundertneununddreißig ______
h) tausendsechsundsechzig ______
i) vierzehnhundertzweiundneunzig ______

14. Welche Sätze sagen dasselbe, welche nicht dasselbe?

a) Meine Mutter kritisiert immer meine Freunde. /
Meine Mutter ist nie mit meinen Freunden zufrieden.

b) Wenn man das Abitur hat, hat man bessere Berufschancen. /
Mit Abitur hat man bessere Berufschancen.

c) Man sollte mehr Krankenhäuser bauen. Das finde ich auch. /
Man sollte mehr Krankenhäuser bauen. Ich bin auch dagegen.

d) Wenn es keine Kriege geben würde, wäre die Welt schöner. /
Ohne Kriege wäre die Welt schöner.

e) Er erklärt, dass das Problem sehr schwierig ist. /
Er erklärt das schwierige Problem.

f) Niemand hat einen guten Vorschlag. /
Jemand hat einen schlechten Vorschlag.

g) Während des „Kalten Krieges" gab es nur Wirtschaftskontakte. /
Im „Kalten Krieg" gab es nur Wirtschaftskontakte.

	dasselbe	nicht dasselbe
a)	______	______
b)	______	______
c)	______	______
d)	______	______
e)	______	______
f)	______	______
g)	______	______

15. Was können Sie auch sagen?

Nach Übung 13 im Kursbuch

a) *Er ist vor zwei Tagen angekommen.*
A Er ist seit zwei Tagen hier.
B Er ist für zwei Tage hier.
C Er kommt in zwei Tagen an.

b) *Gegen Abend kommt ein Gewitter.*
A Es ist Abend. Deshalb kommt ein Gewitter.
B Am Abend kommt ein Gewitter.
C Ich bin gegen ein Gewitter am Abend.

c) *Mein Vater ist über 60.*
A Mein Vater wiegt mehr als 60 kg.
B Mein Vater fährt schneller als 60 km/h.
C Mein Vater ist vor mehr als 60 Jahren geboren.

d) *Während meiner Reise war ich krank.*
A Auf meiner Reise war ich krank.
B Seit meiner Reise war ich krank.
C Wegen meiner Reise war ich krank.

e) *Seit 1952 wurden die DDR und die BRD immer verschiedener.*
A Vor 1952 waren die DDR und die BRD ein Staat.
B Nach 1952 wurden die Unterschiede zwischen der DDR und der BRD immer größer.
C Bis 1952 waren die BRD und die DDR zwei verschiedene Staaten.

f) *In zwei Monaten heiratet sie.*
A Ihre Heirat dauert zwei Monate.
B Sie heiratet für zwei Monate.
C Es dauert noch zwei Monate. Dann heiratet sie.

g) *Mit 30 hatte er schon 5 Häuser.*
A Er hatte schon 35 Häuser.
B Als er 30 Jahre alt war, hatte er schon 5 Häuser.
C Vor 30 Jahren hatte er 5 Häuser.

h) *Erst nach 1978 gab es Kontakte zwischen den beiden Staaten.*
A Vor 1978 gab es keine Kontakte zwischen den beiden Staaten.
B Seit 1978 gab es keine Kontakte zwischen den beiden Staaten mehr.
C Schon vor 1978 gab es Kontakte zwischen den beiden Staaten.

i) *In Deutschland dürfen alle Personen über 18 Jahre wählen.*
A Vor 18 Jahren durften in Deutschland alle Personen wählen.
B Nur Personen, die wenigstens 18 Jahre alt sind, dürfen in Deutschland wählen.
C In Deutschland dürfen alle Personen nach 18 Jahren wählen.

16. Sagen Sie es anders. Benutzen Sie „dass", „ob" oder „zu".

Nach Übung 13 im Kursbuch

a) Die Studenten haben beschlossen: Wir demonstrieren.
Die Studenten haben beschlossen zu demonstrieren.

b) Die Abgeordneten haben kritisiert: Die Steuern sind zu hoch.
Die Abgeordneten haben kritisiert, dass die Steuern zu hoch sind.

c) Sandro möchte wissen: Ist Deutschland eine Republik?
______

d) Der Minister hat erklärt: Die Krankenhäuser sind zu teuer.
______

e) Die Partei hat vorgeschlagen: Wir bilden eine Koalition.
______

f) Die Menschen hoffen: Die Situation wird besser.
______

g) Herr Meyer überlegt: Soll ich nach Österreich fahren?

____

h) Die Regierung hat entschieden: Wir öffnen die Grenzen.

____

i) Die Arbeiter haben beschlossen: Wir streiken.

____

j) Der Minister glaubt: Der Vertrag wird unterschrieben.

____

Nach Übung 16 im Kursbuch

17. Was passt zusammen?

a)	Ich erinnere mich gut
b)	1989 kam es in der DDR
c)	In unserer Familie sorgt der Vater
d)	Die meisten Leute waren dankbar
e)	Manche Leute hatten Probleme
f)	Viele Leute glauben nicht
g)	Bei der Demonstration ging es
h)	Die meisten DDR-Bürger waren glücklich
i)	1989 wurde der Weg
j)	Die Unterschiede

1.	an eine schöne Zukunft.
2.	für den freundlichen Empfang.
3.	in den Westen frei.
4.	mit dem Staat und seinen Behörden.
5.	an meine Kindheit.
6.	über die neue Freiheit.
7.	zwischen der BRD und der DDR waren groß.
8.	für die Kinder.
9.	um freie Wahlen.
10.	zu Massendemonstrationen.

a)	b)	c)	d)	e)	f)	g)	h)	i)	j)

Nach Übung 16 im Kursbuch

18. Setzen Sie ein: „ein“, „einen“, „einem“, „einer“.

a) Maria ist vor ___________ Woche angekommen.
b) Werner möchte in ___________ neuen Beruf arbeiten.
c) Carlo ist wegen ___________ Frau nach Deutschland gekommen.
d) In der Diskussion geht es um ___________ politisches Problem.
e) Was ist der Unterschied zwischen ___________ Diktatur und ___________ demokratischen Staat?
f) Seit ___________ Jahr sind alle Grenzen offen.
g) Wir haben die gute Nachricht durch ___________ Freund bekommen.
h) Ohne ___________ richtiges Parlament gibt es keine Demokratie.
i) Gerd und Lena haben sich während ___________ Demonstration kennengelernt.
j) In ___________ Monat fahre ich nach Berlin.

19. Setzen Sie ein: „der", „die", „das", „den", „dem".

Nach Übung 16 im Kursbuch

a) Viele Leute sind mit ___________ Regierung nicht einverstanden.
b) Wir haben ein Gespräch über ___________ Probleme der Arbeiter geführt.
c) Viele Leute haben Angst vor ___________ Krieg.
d) Außer ___________ Finanzminister sind alle Regierungsmitglieder für ___________ neue Gesetz.
e) Während ___________ Zeit des „Kalten Krieges" gab es nur Wirtschaftskontakte zwischen ___________ beiden deutschen Staaten.
f) Hier kann jeder seine Meinung über ___________ Staat sagen.
g) Wegen ___________ Verletzung kann der Bundeskanzler nicht ins Ausland fahren.
h) Martina freut sich auf ___________ neue Arbeit.
i) Die Leute waren dankbar für ___________ neue Freiheit.
j) Die Leute denken oft an ___________ Zeit vor dem 9. November 1989.

20. Bilden Sie ganze Sätze.

Nach Übung 16 im Kursbuch

In Schlagzeilen fehlen meistens Artikel und Verben. Machen Sie aus den Schlagzeilen ganze Sätze. Benutzen Sie folgende Verben:

werden – unterschreiben – gewählt werden – es gibt – feiern – führen – bekommen – finden – sein

(Es gibt mehrere mögliche Formulierungen. Vergleichen Sie Ihre Lösung mit dem Lösungsschlüssel.)

a) Wegen Armverletzung: Boris Becker zwei Wochen im Krankenhaus.
Wegen seiner Armverletzung liegt Boris Becker zwei Wochen im Krankenhaus.
b) Ausländer: bald Wahlrecht?
____
c) Regierungen Chinas und Frankreichs: Politische Gespräche.
____
d) Bundeskanzler mit Vorschlägen des Finanzministers nicht einverstanden.
____
e) Neues Parlament in Sachsen.
____
f) Nach Öffnung der Grenze: Tausende auf Straßen von Berlin.
____
g) Regierung: Lösung der Steuerprobleme.
____
h) Vertrag über Kultur zwischen Russland und Deutschland.
____
i) Zu viel Müll in Deutschlands Städten.
____
j) Wetter ab morgen wieder besser.
____

LEKTION 9

Wortschatz

Verben

aufgeben 119
ausziehen 110
backen 114
beeilen 114
bieten 112
danken 110
einfallen 113
gehören 111
holen 115
regieren 114
schicken 110
treffen 115
umziehen 119
verabreden 118
verwenden 118
vorbeikommen 116
wandern 118
warten 116
wünschen 110

Nomen

(s) Afrika 119
r Anfang, ¨e 118
e/r Angehörige, -n 111
r Aufenthalt, -e 112
e Bäckerei, -en 114
e Bedingung, -en 112
s Bett, -en 112
e Bevölkerung 113
e Bibliothek, -en 112
r Blick, -e 117
e Bürste, -n 115
e Erinnerung, -en 117
s Fahrrad, ¨er 114
e Freiheit, -en 110
s Glück 110
r Handwerker, - 114
s Heim, -e 112
e Hilfe, -n 112
r Hof, ¨e 114
s Holz 115
e Idee, -n 119
s Interesse, -n 112
e/r Jugendliche, -n (ein Jugendlicher) 113
r Junge, -n 119
e Kirche, -n 112
r Kuchen, - 114
r Kugelschreiber, - 115
e Lage, -n 112
e Liebe 116
s Messer, - 115
s Möbel, - 112
r Moment, -e 115
s Museum, Museen 119
e Nachbarin, -nen 115
e Nähe 111
s Paar, -e 116
s Regal, -e 114
e Rente, -n 112
r Schluss 118
s Schwimmbad, ¨er 112
e Steckdose, -n 114
r Tanz, ¨e 112
r Tänzer, - 118
e Tätigkeit, -en 119
r Tod 118
e Toilette, -n 112
e Veranstaltung, -en 112
r Verein, -e 115
s WC, -s 112
s Werkzeug, -e 115 e

Adjektive

besonder- 113
ernst 114
evangelisch 112
hell 112
lieb 118
modern 112
nächst- 110
offenbar 116
privat 112
schnell 113
schrecklich 117
ständig- 114

Adverbien

bald 110
bitte 112
da 116
doch 110
eigentlich 114
einmal 110
erst 117
genug 113
heute 114
inzwischen 119
mal 110
natürlich 110
nein 111
selber 110
so 112
sogar 112
vorher 114
wirklich 116
wohl 115

Funktionswörter

ab 112
bei 117
beide 116
bevor 114
einer 117
etwas 114
neben 114

LEKTION 9

Ausdrücke

allein bleiben 111	Gott sei Dank 116	noch mal 117	zu Fuß 114
gar nicht 110	nicht ganz 114	von Beruf sein 119	

Grammatik

Verben mit Reflexivpronomen (§ 10)

Im Akkusativ:	sich ärgern	Ich ärgere	mich	über Paul.
	sich ausziehen	Willst du	dich	nicht ausziehen?
	sich waschen	Er wäscht	sich	täglich dreimal!
	sich beschweren	Wir sollten	uns	über dieses Essen beschweren.
	sich unterhalten	Worüber habt ihr	euch	unterhalten?
	sich ... fühlen	Sie fühlen	sich	trotz ihrer 65 Jahre noch jung.
Im Dativ:	sich helfen	Ich kann	mir	immer selbst helfen.
	sich etw. wünschen	Was wünschst du	dir	zum Geburtstag?
	sich etw. kochen	Er kocht	sich	gerade sein Essen.
	sich etw. kaufen	Warum kauft ihr	euch	kein neues Auto?
	sich etw. leihen	Sie haben	sich	meinen Computer geliehen.

Unbetonte Ergänzungen: Reihenfolge (§ 33)

Ich brauche den Wagen. Kannst du mir den heute Abend leihen? Kannst du ihn mir heute Abend leihen?	Ich brauche einen Videorekorder. Können Sie mir einen leihen?
Lisa braucht die Lampe. Kannst du ihr die bis heute Abend reparieren? Kannst du sie ihr bis heute Abend reparieren?	Lisa braucht eine Kaffeemaschine. Kannst du ihr eine kaufen?
Eva und Peter brauchen das Werkzeug. Kannst du ihnen das gleich bringen? Kannst du es ihnen gleich bringen?	Eva und Peter brauchen ein Zelt. Kannst du ihnen eins schenken?
Wir brauchen die Tennisbälle Kannst du uns die mitbringen? Kannst du sie uns mitbringen?	Wir brauchen Tennisbälle. Kannst du uns welche mitbringen?

Reziprokpronomen (§ 11)

Sie haben sich beim Tanzen getroffen.	(Sie hat ihn getroffen, er hat sie getroffen.)
Sie haben sich besucht.	(Sie hat ihn besucht, er hat sie besucht.)
Sie haben sich geliebt.	(Sie hat ihn geliebt, er hat sie geliebt.)

LEKTION 9

Nach Übung 1 im Kursbuch

1. Ergänzen Sie „auf", „für", „mit", „über", „von" oder „zu".

a) Die Großeltern können ___________ die Kinder aufpassen, wenn die Eltern abends weggehen.
b) Man muss den Eltern ___________ alles danken, was sie getan haben.
c) Viele Leute erzählen immer nur ___________ früher.
d) Viele Eltern sind ___________ ihre Kinder enttäuscht, wenn sie im Alter allein sind.
e) Die Großeltern warten oft ___________ Besuch von ihren Kindern.
f) Ich unterhalte mich gern ___________ meinem Großvater ___________ Politik.
g) Ich meine, die alten Leute gehören ___________ uns.
h) Die Kinder spielen gern ___________ den Großeltern.
i) Großmutter regt sich immer ___________ Ingrids Kleider auf.
j) Ich finde es interessant, wenn meine Großeltern ___________ ihrer Jugendzeit erzählen.

Nach Übung 1 im Kursbuch

2. Stellen Sie Fragen.

a) Ich denke gerade *an meinen Urlaub.* — *Woran denkst du gerade?*
b) Im Urlaub fahre ich *nach Schweden.* ___________
c) Ich freue mich schon *auf den Besuch der Großeltern.* ___________
d) Der Mann hat *nach der Adresse des Altersheims* gefragt. ___________
e) Ich möchte mich *über das laute Hotelzimmer* beschweren. ___________
f) Ich denke oft *über mein Leben* nach. ___________
g) Ich komme *aus der Schweiz.* ___________
h) Ich habe mein ganzes Geld *für Bücher* ausgegeben. ___________
i) Karin hat uns lange *von ihrer Reise* erzählt. ___________
j) Viele Leute sind *über die Politik der Regierung* enttäuscht. ___________

Nach Übung 1 im Kursbuch

3. Ergänzen Sie „mir" oder „mich".

a) Ich wasche mich nur mit klarem Wasser.
b) Ich sehe mir manchmal gern alte Fotos an.
c) Am Wochenende ruhe ich mich meistens aus.
d) Ich rege mich nicht über die jungen Leute auf.
e) Ich ziehe mich gern modern an.
f) Ich möchte mir über das Essen beschweren.
g) Ich bestelle mir gern einen guten Wein.
h) Ich kann mir einfach nicht entscheiden.
i) Entschuldigen Sie mich bitte!
j) Ich kaufe mir gern ein gutes Buch.
k) Um die anderen Leute kümmere ich mich nicht.
l) Ich langweile mich oft.
m) Einmal im Jahr leiste ich mir einen Urlaub.
n) Ich wünsche mir , nicht sehr alt zu werden.
o) Ich setze mich am liebsten auf mein altes Sofa.
p) Auf mich kann man sich immer verlassen.
q) Das habe ich ~~mich~~ mir gut überlegt.
r) Ich glaube, ich habe mir nicht sehr verändert.
s) Hier fühle ich mich wohl.
t) Ich koche mir mein Essen fast immer selbst.

4. Ergänzen Sie „sie" oder „ihnen".

Nach Übung 2 im Kursbuch

a) Was kann man für alte Menschen tun, die allein sind?
Man kann
_______________ besuchen,
_______________ Briefe schreiben,
_______________ auf einen Spaziergang mitnehmen,
_______________ Pakete schicken,
_______________ zuhören, wenn sie ihre Sorgen erzählen,
_______________ manchmal anrufen.

b) Was muss man für alte Menschen tun, die sich nicht allein helfen können?
Man muss
_______________ morgens anziehen,
_______________ abends ausziehen,
_______________ die Wäsche waschen,
_______________ das Essen bringen,
_______________ waschen,
_______________ im Haus helfen,
_______________ ins Bett bringen.

5. Alt sein heißt oft allein sein. Ergänzen Sie „sie", „ihr" oder „sich".

Nach Übung 2 im Kursbuch

Frau Möhring fühlt _________(a) oft allein.
Sie hat niemanden, der _________(b) zuhört, wenn sie Sorgen hat oder wenn sie _________(c) unterhalten will.
Sie muss _________(d) selbst helfen, weil niemand _________(e) hilft.
Niemand besucht _________(f), niemand schreibt _________(g), niemand ruft _________(h) an.
Aber nächsten Monat bekommt sie einen Platz im Altersheim.
Sie freut _________(i) schon, dass sie dann endlich wieder unter Menschen ist.

6. Sagen Sie es anders.

Nach Übung 3 im Kursbuch

a) Ist das Ihr Haus? *Gehört das Haus Ihnen?*
b) Ist das der Schlüssel von Karin? _______________
c) Ist das euer Paket? _______________
d) Du kennst doch Rolf und Ingrid. Ist das ihr Wagen? _______________
e) Ist das sein Ausweis? _______________
f) Herr Baumann, ist das Ihre Tasche? _______________
g) Das ist mein Geld! _______________
h) Sind das eure Bücher? _______________
i) Sind das Ihre Pakete, Frau Simmet? _______________
j) Gestern habe ich Linda und Bettina getroffen. Das sind ihre Fotos. _______________

7. Kursbuch S. 110: Lesen Sie noch einmal den Brief von Frau Simmet. Schreiben Sie:

Nach Übung 3 im Kursbuch

Familie Simmet wohnt seit vier Jahren mit der Mutter von Frau Simmet zusammen, weil ihr Vater gestorben ist. Ihre Mutter kann ...

Nach Übung 6 im Kursbuch

8. Was passt zusammen?

-abend	-versicherung	-heim	-amt	-jahr	-raum
-tag	-paar	- schein	- haus	- platz	

a) Senioren- / Alten- / Pflege- / Studenten- ____________
b) Renten- / Kranken- / Pflege- / Lebens- ____________
c) All- / Arbeits- / Geburts- / Feier- ____________
d) Feier- / Lebens- / Sonn- ____________
e) Arbeits- / Park- / Sport- ____________
f) Kranken- / Eltern- / Gast- / Kauf- / Rat- ____________
g) Kranken- / Führer- ____________
h) Arbeits- / Sozial- ____________
i) Hobby- / Koffer- / Maschinen- ____________
j) Ehe- / Liebes- ____________
k) Früh- / Ehe- / Lebens- ____________

Nach Übung 7 im Kursbuch

9. Lebensläufe.

a) Ergänzen Sie.

Mein Name ist Franz Kühler. Ich bin am 14. 3. 1927 in Essen geboren. Mein Vater war Beamter, meine Mutter Hausfrau. Die Volksschule habe ich in Bochum besucht, von 1933 bis 1941. Danach habe ich eine Lehre als Industriekaufmann gemacht. 1944 bin ich noch Soldat geworden. Nach dem Krieg habe ich meine spätere Frau kennen gelernt: Helene Wiegand. Am 16. 8. 1949 haben wir geheiratet. Unsere beiden Söhne Hans und Norbert sind 1951 und 1954 geboren. Bei der Firma Bolte & Co. in Gelsenkirchen bin ich 1956 Buchhalter geworden. In diesem Beruf habe ich später noch bei den Firmen Hansmann in Dortmund, Wölke in Kamen und zuletzt bei der Firma Jellinek in Essen gearbeitet. Meine Frau ist 1987 gestorben. 1992 bin ich in Rente gegangen. Ich wohne jetzt in einer Altenwohnung im „Seniorenpark Essen-Süd". Meine Söhne leben im Ausland. Ich bekomme 900 Euro Rente im Monat.

Name:	____________
Geburtsdatum:	____________
Geburtsort:	____________
Familienstand:	____________
Kinder:	____________
Schulausbildung:	____________
Berufsausbildung:	____________
früherer Beruf:	*Buchhalter*
letzte Stelle:	____________
Alter bei Anfang der Rente:	____________
Rente pro Monat:	____________
jetziger Aufenthalt:	____________

b) Schreiben Sie einen Text: Es gibt mehrere mögliche Formulierungen. Vergleichen Sie Ihre Lösung mit dem Schlüssel zu dieser Übung.

Name: *Gertrud Hufendiek*
Geburtsdatum: *21. 1. 1935*
Geburtsort: *Münster*
Familienstand: *ledig*
Kinder: *keine*
Schulausbildung: *Volksschule 1941–1945; Realschule 1945–1951*
Berufsausbildung: *Lehre als Kauffrau*
früherer Beruf: *Exportkauffrau*
letzte Stelle: *Fa. Piepenbrink, Bielefeld*
Alter bei Anfang der Rente: *58*
Rente pro Monat: *800 Euro*
jetziger Aufenthalt: *Seniorenheim „Auguste-Viktoria", Bielefeld*

Mein Name ist ... Ich bin am ... in ... ______________________________

____

10. Wie heißt das Gegenteil?

Minderheit · Ursache · Gesundheit · Nachteil · Friede · Junge · Erwachsener · Freizeit · Tod · Jugend · Stadtmitte

a) Alter – ______________
b) Mehrheit – ______________
c) Arbeit – ______________
d) Stadtrand – ______________
e) Vorteil – ______________
f) Jugendlicher – ______________
g) Leben – ______________
h) Krieg – ______________
i) Krankheit – ______________
j) Konsequenz – ______________
k) Mädchen – ______________

11. Was können Sie auch sagen?

Nach Übung 9 im Kursbuch

a) *Die Mehrheit der Bevölkerung ist über 30.*
- [A] Die meisten Einwohner des Landes sind älter als 30 Jahre.
- [B] Die meisten Einwohner des Landes sind Rentner.
- [C] Die meisten Einwohner des Landes sind ungefähr 30 Jahre alt.

b) *Die Kosten für die Rentenversicherung steigen.*
- [A] Die Rentenversicherung wird leichter.
- [B] Die Rentenversicherung wird teurer.
- [C] Die Rentenversicherung wird billiger.

c) *Herr Meyer hat eine Pflegeversicherung.*
- [A] Herr Meyer wird von einer Versicherung gepflegt.
- [B] Herr Meyer hat eine Versicherung, die später seine Pflege bezahlt.
- [C] Herr Meyer hat eine private Krankenversicherung.

d) *Alte Menschen brauchen Pflege.*
- [A] Alte Menschen müssen versorgt werden.
- [B] Alte Menschen müssen verlassen werden.
- [C] Alte Menschen brauchen eine gute Versicherung.

e) *Alte Leute haben oft den Wunsch nach Ruhe.*
- [A] Alte Leute brauchen selten Ruhe.
- [B] Alte Leute wollen immer nur Ruhe.
- [C] Alte Leute möchten oft Ruhe haben.

f) *Die Industrie muss mehr Artikel für alte Menschen herstellen.*
- [A] Die Industrie muss mehr Altenheime bauen.
- [B] Die Industrie soll keine Artikel für junge Menschen mehr herstellen.
- [C] Die Industrie muss mehr Waren für alte Menschen produzieren.

Nach Übung 10 im Kursbuch

12. Wie heißen die fehlenden Wörter?

Pflaster Handwerker Seife Bürste Steckdose Farbe Regal Bleistift Werkzeug Zettel

Heute will Herr Baumann endlich das ____________(a) für die Küche bauen. Das ist nicht schwer für ihn, weil er ____________(b) ist. Zuerst macht er einen Plan. Dazu braucht er einen ____________(c) und einen ____________(d). Dann holt er das Holz und das ____________(e). Um die Teile zu schneiden braucht er Strom. Wo ist denn bloß eine ____________(f)? Au! Jetzt hat er sich in den Finger geschnitten und braucht ein ____________(g). Er ist fast fertig, nur die ____________(h) fehlt noch. Das Regal soll grün werden. Zum Schluss ist Herr Baumann ganz schmutzig. Er geht zum Waschbecken, nimmt die ____________(i) und eine ____________(j) und wäscht sich die Hände.

Nach Übung 11 im Kursbuch

13. Was passt zusammen?

a) Auf dem Tisch liegt mein Füller.
b) Heute habe ich Zeit, die Uhr zu reparieren.
c) Uli hat seinen Pullover bei uns vergessen.
d) Wir haben das Problem nicht verstanden.
e) Dein neues Haus ist sicher sehr schön.
f) Die Wörterbücher sind noch im Wohnzimmer
g) Ich habe mir eine Kamera gekauft.
h) Das Fotobuch hat Maria sehr gut gefallen.

1. Erklärst du uns das bitte.
2. Gibst du ihn mir mal?
3. Holst du sie mir?
4. Kannst du mir die mal holen?
5. Schenken wir es ihr?
6. Soll ich dir die mal zeigen?
7. Soll ich ihm den schicken?
8. Wann willst du es uns zeigen?

a)	b)	c)	d)	e)	f)	g)	h)

Nach Übung 11 im Kursbuch

14. Wo steht das Pronomen?

a) Diese Suppe schmeckt toll. Kochst du __–__ mir __*die*__ auch mal? (die)
b) Das ist mein neuer Mantel. Meine Eltern haben ______ mir ______ geschenkt. (ihn)
c) Diese Frage ist sehr schwierig. Kannst du ______ Hans ______ vielleicht erklären? (sie)
d) Ich möchte heute Abend ins Kino gehen, aber meine Eltern haben ______ mir ______ verboten. (das)
e) Diese Lampe nehme ich. Können Sie ______ mir ______ bitte einpacken? (sie)
f) Ich brauche die Streichhölzer. Gibst du ______ mir ______ mal? (die)
g) Wie findest du die Uhr? Willst du ______ deiner Freundin ______ nicht zum Geburtstag schenken? (sie)
h) Wir haben hier einen Brief in dänischer Sprache. Können Sie ______ uns ______ bitte übersetzen? (den)
i) Die Kinder wissen nicht, wie man den Fernseher anmacht. Zeigst du ______ ihnen ______ mal? (es)
j) Das sind französische Zigaretten. Ich habe ______ meinem Lehrer ______ aus Frankreich mitgebracht. (sie)

Nach Übung 11 im Kursbuch

15. Ihre Grammatik. Ergänzen Sie.

a) Können Sie mir bitte die Grammatik erklären?
b) Können Sie mir die Grammatik bitte genauer erklären?
c) Können Sie mir die bitte erklären?
d) Können Sie sie mir bitte erklären?
e) Ich habe meinem Bruder gestern mein neues Auto gezeigt.
f) Holst du mir bitte die Seife?
g) Ich suche dir gern deine Brille.
h) Ich bringe dir dein Werkzeug sofort.
i) Zeig mir das doch mal!
j) Ich zeige es dir gleich.
k) Geben Sie mir die Lampe jetzt?
l) Holen Sie sie sich doch!
m) Dann können Sie mir das Geld ja vielleicht schicken.
n) Diesen Mantel habe ich ihr vorige Woche gekauft.

	Vorfeld	$Verb_1$	Subjekt	Ergänzung			Angabe	Ergänzung	$Verb_2$
				Akkusativ (Personalpronomen)	Dativ (Nomen/ Pers.-Pron.)	Akkusativ (Nomen/ Definit-Pron.)			
a)		*Können*	*Sie*		*mir*		*bitte*	*die Grammatik*	*erklären?*
b)									
c)									
d)									
e)									
f)									
g)									
h)									
i)									
j)									
k)									
l)									
m)									
n)									

Nach Übung 12 im Kursbuch

16. Was hat Herr Schibilsky, Rentner, 66, gestern alles gemacht? Schreiben Sie.

a) *Um 8 Uhr hat er die Kinder in die Schule gebracht.*

b) ______

c) ______

d) ______

e) ______

f) ______

g) ______

h) ______

i) ______

j) ______

k) ______

l) ______

17. Setzen Sie die Sätze ins Präteritum.

Nach Übung 14 im Kursbuch

a) Xaver hat immer nur Ilona geliebt.
   Xaver liebte immer nur Ilona. ____________________
b) Das hat er seiner Frau auf einer Postkarte geschrieben.
c) Viele Männer haben ihr die Liebe versprochen.
d) Sie haben in ihrer Dreizimmerwohnung gesessen.
e) Sie haben ihre alten Liebesbriefe gelesen.
f) Mit 18 haben sie sich kennen gelernt.
g) Xaver ist mit einem Freund vorbeigekommen.
h) Die Jungen haben zugehört, wie die Mädchen gesungen haben.
i) Dann haben sie sich zu ihnen gesetzt.
j) 1916 haben sie geheiratet.
k) Die Leute im Dorf haben über sie geredet.
l) Aber sie haben es verstanden.
m) Jeden Sonntag ist er in die Berge zum Wandern gegangen.
n) Sie hat gewusst, dass Mädchen dabei gewesen sind.
o) Darüber hat sie sich manchmal geärgert.
p) Sie hat ihn nie gefragt, ob er eine Freundin gehabt hat.

18. Ergänzen Sie „erzählen", „reden", „sagen", „sprechen", „sich unterhalten".

Nach Übung 14 im Kursbuch

a) Der Großvater ____________________ den Kindern oft Märchen.
b) ____________________ du auch Englisch?
c) Gestern haben Karl und Elisabeth uns von ihrer Reise nach Ägypten ____________________ .
d) Karin hat Probleme in der Schule. Hast du dich schon mal mit ihr darüber ____________________?
e) ____________________ mir, was du jetzt machen willst!
f) Du ____________________ immer so viel! Kannst du nicht mal einen Augenblick lang still sein?
g) Was haben Sie gerade zu Ihrem Nachbarn ____________________ ?
h) Die Situation ist sehr schlimm. Man kann von einer Katastrophe ____________________ .
i) Worüber wollen wir uns denn jetzt ____________________ ?
j) Heinz ist Punk. Es ist klar, dass die Kollegen über ihn ____________________ .

19. Ergänzen Sie „sich setzen", „sitzen", „stehen", „liegen".

Nach Übung 15 im Kursbuch

a) Mein Zimmer ist sehr niedrig. Man kann kaum darin ____________________ .
b) Bitte ____________________ Sie sich doch!
c) Anja ____________________ schon im Bett.
d) Ich ____________________ nicht so gern im Sessel, sondern lieber auf einem Stuhl.
e) Potsdam ____________________ bei Berlin.
f) Wo ____________________ die Weinflasche denn?
g) Es gab keine Sitzplätze mehr im Theater. Deshalb mussten wir ____________________ .
h) Im Deutschkurs hat Angela sich zu mir ____________________ .
i) Im Restaurant habe ich neben Carlo ____________________ .
j) Deine Brille ____________________ im Regal.

Nach Übung **16** im Kursbuch

20. Sagen Sie es anders.

a) Sie hat ihn in der U-Bahn kennen gelernt, er hat sie in der U-Bahn kennen gelernt.
Sie haben sich in der U-Bahn kennen gelernt.

b) Ich liebe dich, du liebst mich.
c) Er besucht sie, sie besucht ihn.
d) Ich helfe ihnen, sie helfen mir.
e) Ich höre Sie, Sie hören mich.
f) Du brauchst ihn, er braucht dich.
g) Er mag sie, sie mag ihn.
h) Er hat ihr geschrieben, sie hat ihm geschrieben.
i) Ich sehe Sie bald, Sie sehen mich bald.
j) Er wünscht sich ein Auto, sie wünscht sich ein Auto.

Nach Übung **16** im Kursbuch

21. Sagen Sie es anders. Benutzen Sie „als", „bevor", „bis", „während", „weil", „wenn".

a) Bei Regen gehe ich nie aus dem Haus. *Wenn es regnet, gehe ich nie aus dem Haus.*
b) Vor seiner Heirat hat er viele Mädchen gekannt.
c) Wegen meiner Liebe zu dir schreibe ich dir jede Woche einen Brief.
d) Bei Schnee ist die Welt ganz weiß.
e) Es dauert noch ein bisschen bis zum Anfang des Films.
f) Bei seinem Tod haben alle geweint.
g) Während des Streiks der Kollegen habe ich gearbeitet.

Nach Übung **17** im Kursbuch

22. Sagen Sie es anders. Verbinden Sie die Sätze mit dem Relativpronomen.

a) Frau Heidenreich ist eine alte Dame. Sie war früher Lehrerin.
Frau Heidenreich ist eine alte Dame, die früher Lehrerin war.

b) Sie hat einen Verein gegründet. Dieser Verein vermittelt Leihgroßmütter.
c) Frau H. hat Freundinnen eingeladen. Den Freundinnen hat sie von ihrer Idee erzählt.
d) Die älteren Damen kommen in Familien. Diese Familien brauchen Hilfe.
e) Frau H. hat sich früher um ein kleines Mädchen gekümmert. Es lebte in der Nachbarschaft.
f) Eine Dame ist ganz zu einer Familie gezogen. Bei der Familie war sie vorher Leihgroßmutter.
g) Eine Dame kam in eine andere Familie. Diese Familie suchte nur jemanden für die Hausarbeit.
h) Es gibt viele alte Menschen. Ihnen fehlt eine richtige Familie.
i) Alle Leute brauchen einen Menschen. Für den Menschen können sie da sein.
j) Manchmal gibt es Probleme. Über die Probleme kann man aber in der Gruppe reden.

Nach Übung **17** im Kursbuch

23. Ergänzen Sie die Sätze.

a) Manche Leute arbeiten, obwohl ...
b) Frau Heidenreich hat einen Verein für Leihgroßmütter gegründet, um ... zu ...
c) Herr Schulz hat sich immer einsam gefühlt. Deshalb ...
d) Frau Meyer ist schon zum zweiten Mal verwitwet. Trotzdem ...
e) Wir können die alten Leute nicht ins Altersheim schicken, denn ...
f) Herr Müller wohnt in einem Altersheim, aber ...
g) Herr Bauer ist schon seit einem Jahr Rentner. Trotzdem ...
h) Herr und Frau Dengler sind 65 Jahre verheiratet, und ...

sich immer noch lieben
sich immer wieder Arbeit suchen
Familien ohne Großmutter helfen
noch einmal heiraten wollen
sich dort wohl fühlen
Rentner sein
zu uns gehören
eine Heiratsanzeige aufgeben

Wortschatz

Verben

atmen 126
aufmachen 127
bauen 123
beschreiben 124
bleiben 123
einschlafen 126
essen 126
fallen 123
fehlen 123
heben 126
kommen 126
laufen 126
lesen 123
liegen 122
merken 126
mögen 128
nähen 126
nehmen 126
ordnen 122
schenken 128
schütten 126
sehen 122
springen 123
stehen 122
stellen 127
tragen 122
tun 127
verändern 122
wohnen 126
zählen 122

Nomen

r Abend, -e 127
s Alter 128
e Arbeiterin, -nen 127
r August 127
e Autorin, -nen 124
e Badewanne, -n 126
e Bank, -̈e 126
e Bäuerin, -nen 125
s Bier, -e 122
e Blume, -n 122
s Blut 126
s Boot, -e 122
r Brief, -e 122
s Brot, -e 126
e Brust, -̈e 126
s Buch, -̈er 124
r Dezember 125
s Ding, -e 126
e Erlaubnis 127
s Essen 126
r Fisch, -e 122
e Freude, -n 128
s Frühstück 128
r Garten, -̈ 124
s Gedicht, -e 122
s Gemüse 124
s Glas, -̈er 122
s Gras 127
e Hand, -̈e 122
e Hausfrau, -en 125
s Herz, -en 123
r Hund, -e 122
r Hunger 124
e Kartoffel, -n 126
e Katze, -n 124
s Lebensmittel, - 127
e Leute (Plural) 125
s Mehl 124
r Mensch, -en 122
e Milch 126
s Militär 125
e Nacht, -̈e 125
r Name, -n 124
r Nationalsozialist, -en 127
r Nazi, -s 127
s Obst 124
r Raum, -̈e 127
s Rezept, -e 124
r Roman, -e 124
r Satz, -̈e 122
s Schwein, -e 126
r Soldat, -en 127
e Stadt, -̈e 122
e Stunde, -n 122
e Suppe, -n 128
r Tipp, -s 124
r Titel, - 122
e Torte, -n 124
e Tür, -en 127
s Vieh 127
r Vogel, -̈ 122
e Wand, -̈e 122
e Wolke, -n 122

Adjektive

amtlich 127
breit 122
bunt 122
einzig- 125
frisch 124
ganz 124
geboren 125
gerade 126
hart 126
häufig 128
krank 125
laut 122
müde 127
offiziell 124
sauer 128
tief 122
weiblich 126

Adverbien

anders 122
außerdem 124
daher 127
diesmal 124
dort 122
drinnen 126
gestern 122
hier 122
hin- 127
morgens 127
nun 127
schon 122
selbst 122
wieder 127
zusammen 127

LEKTION 10

Funktionswörter

Ausdrücke

Grammatik

Diese Lektion hat keinen spezifischen grammatikalischen Schwerpunkt.

1. Wie heißen diese Dinge?

a) ______	e) ______	i) ______	m) ______
b) ______	f) ______	j) ______	n) ______
c) ______	g) ______	k) ______	o) ______
d) ______	h) ______	l) ______	p) ______

Zu Lektion 1 Wiederholung

2. Wie sind die Menschen?

traurig vorsichtig pünktlich schmutzig ehrlich gefährlich langweilig lustig neugierig dumm freundlich dick ruhig

a) Erich wiegt zu viel. Er ist zu ______________________ .
b) Viele Leute haben Angst vor Punks. Sie glauben, Punks sind ______________________ .
c) Meine kleine Tochter wäscht sich nicht gern. Sie ist meistens ______________________ .
d) Herr Berg kommt nie zu spät und nie zu früh. Er ist immer ______________________ .
e) Peter erzählt selbst sehr wenig, er hört lieber zu. Er ist ein sehr ______________________ Mensch.
f) Jörg lacht selten. Meistens sieht er sehr ______________________ aus.
g) Veronika fährt immer langsam und passt gut auf. Sie ist eine ______________________ Autofahrerin.
h) Erich lügt nicht. Er ist immer ______________________ .
i) Die Gespräche mit Eva sind uninteressant und ______________________ . Ich könnte dabei manchmal einschlafen.
j) Über Bert haben wir schon oft gelacht. Alle finden ihn sehr ______________________ .
k) Holger will immer alles wissen. Er ist ziemlich ______________________ .
l) Susanne ist eine gute Kellnerin. Sie ist immer nett und ______________________ .
m) Kurt ist nicht sehr intelligent. Er ist ziemlich ______________________ .

Zu Lektion 1 Wiederholung

3. Ergänzen Sie.

a) Das weiß_____ Hemd, die blau_____ Hose und der grau_____ Mantel passen gut zusammen.
b) Sie trägt eine rot_____ Hose mit einer blau_____ Bluse.
c) Ich mag keine schwarz_____ Schuhe. Braun_____ Schuhe gefallen mir besser.
d) Zieh einen warm_____ Pullover an, draußen ist es ziemlich kalt.
e) Für die Hochzeit hat sie sich extra ein neu_____ Kleid gekauft.
f) Bring bitte den schwarz_____ Rock, das rot_____ Kleid, die braun_____ Hose und die weiß_____ Blusen in die Reinigung.
g) Eine grün_____ Bluse und ein blau_____ Rock passen nicht zusammen.
h) In dem rot_____ Rock mit der weiß_____ Bluse sieht Irene sehr hübsch aus.
i) Mit diesem hässlich_____ Kleid und mit den komisch_____ Schuhen kannst du nicht zu der Feier gehen. Das ist unmöglich.
j) Ein rot_____ Kleid mit schwarz_____ Strümpfen sieht gut aus.
k) Gestern habe ich Sonja zum ersten Mal in einem hübsch_____ Kleid gesehen. Sonst trägt sie immer nur Hosen.
l) Mit schmutzig_____ Schuhen darfst du nicht in die Wohnung gehen.
m) Die schwarz_____ Schuhe sind kaputt.
n) Ihr Mann trug eine grau_____ Hose mit einem gelb_____ Pullover.

4. Was passt nicht?

Zu Lektion 2 Wiederholung

a) Chefin – Arbeitgeber – Kantine – Handwerker – Arbeiter – Beamtin – Arbeitnehmer – Kaufmann – Verkäuferin – Kollege – Soldat
b) Schulklasse – Studentin – Schüler – Lehrling – Lehrer
c) Gehalt – Lohn – Rente – Steuern – Stelle
d) Diplomprüfung – Examen – Ausbildung – Prüfung – Test
e) Betrieb – Job – Firma – Geschäft – Büro – Fabrik – Werk
f) Sprachkurs – Lehre – Studium – Ausbildung – Unterricht – Beruf
g) Grundschule – Universität – Gymnasium – Wissenschaft – Kindergarten

5. Sagen Sie es anders. Verwenden Sie Nebensätze mit „weil", „wenn" oder „obwohl".

Zu Lektion 2 Wiederholung

a) Gerda hat erst seit zwei Monaten ein Auto. Trotzdem ist sie schon eine gute Autofahrerin.
Obwohl Gerda erst seit zwei Monaten ein Auto hat, ist sie schon eine gute Autofahrerin.
b) Das Auto fährt nicht gut. Es war letzte Woche in der Werkstatt.
c) Ich fahre einen Kleinwagen, denn der braucht weniger Benzin.
d) In zwei Jahren verdient Doris mehr Geld. Dann kauft sie sich ein Auto.
e) Jens ist zu schnell gefahren. Deshalb hat die Polizei ihn angehalten.
f) Nächstes Jahr wird Andrea 18 Jahre alt. Dann möchte sie den Führerschein machen.
g) Thomas hat noch keinen Führerschein. Trotzdem fährt er schon Auto.

6. Was passt?

Zu Lektion 3 Wiederholung

Sendung | Zuschauer | Orchester | Maler | Fernseher | Kino
Bild/Zeichnung | Schauspieler | singen | Eintritt | Künstler

a) hören : Radio / sehen : ____________
b) fotografieren : Foto / zeichnen : ____________
c) Theater : Veranstaltung / Fernsehen : ____________
d) tanzen : Tänzer / malen : ____________
e) Fußball spielen : Mannschaft / Musik spielen : ____________
f) Musik : spielen / Lied : ____________
g) Konzert : Musiker / Film : ____________
h) Theaterstück spielen : Schauspieler / Theaterstück sehen : ____________
i) Handwerk : Handwerker / Kunst : ____________
j) Oper, Konzert, Theaterstücke : Theater / Filme : ____________
k) Wohnung : Miete / Museum : ____________

Zu Lektion 3 Wiederholung

7. Sagen Sie es anders.

Erinnern Sie sich noch an Frau Bauer? Sie hat ihre Freundin Christa gefragt, was sie machen soll. Das sind Christas Antworten.

a) Er kann dir doch im Haushalt helfen. *Er könnte dir* ____
b) Back ihm doch keinen Kuchen mehr. *Ich würde ihm* ____

c) Kauf dir doch wieder ein Auto.
d) Er muss sich eine neue Stelle suchen.
e) Er soll sich neue Freunde suchen.
f) Ärgere dich doch nicht über ihn.
g) Er kann doch morgens spazieren gehen.
h) Sag ihm doch mal deine Meinung.
i) Er soll selbst einkaufen gehen.
j) Sprich doch mit ihm über euer Problem.

Zu Lektion 3 Wiederholung

8. Was passt wo? (Einige Ergänzungen passen zu verschiedenen Verben.)

von seiner Krankheit — für die schlechte Qualität — für eine Schiffsreise
vom Urlaub — mit der Schule — für den Brief — über ihren Hund — auf den Sommer
von seinem Bruder — mit der Untersuchung — um eine Zigarette — für meine Tochter
auf das Wochenende — auf den Urlaub — auf eine bessere Regierung — um Auskunft
mit dem Frühstück — um die Adresse — um eine Antwort — für die Verspätung
auf besseres Wetter — mit der Arbeit — von ihrem Unfall — über die Regierung
auf das Essen — für ein Haus — um Feuer — über den Sportverein — auf Sonne

a) sich ____ / ____ / … ärgern / aufregen / unterhalten
b) ____ … aufhören
c) ____ … bitten
d) sich ____ … entschuldigen
e) ____ … sprechen / erzählen
f) sich ____ … freuen
g) ____ … hoffen
h) ____ … sparen

Zu Lektion 3 Wiederholung

9. In welchen Sätzen kann oder muss man „sich" ergänzen, in welchen nicht?

a) Sie hat ____ den Mantel ausgezogen.
b) Sie hat ____ die Wohnung aufgeräumt.
c) Sie hat ____ ein Steak gegessen.
d) Sie hat ____ ein Steak bestellt.
e) Sie hat ____ ein Auto geliehen.
f) Sie hat ____ das Fahrrad bezahlt.
g) Sie hat ____ die Zähne geputzt.
h) Sie hat ____ die Hände gewaschen.
i) Sie hat ____ den Termin vergessen.
j) Sie hat ____ an den Termin nicht erinnert.
k) Sie hat ____ einen Platz reservieren lassen.
l) Sie hat ____ das Auto noch nicht angemeldet.
m) Sie hat ____ für den Sprachkurs angemeldet.
n) Sie hat ____ ein gutes Essen gekocht.
o) Sie hat ____ schnell Deutsch gelernt.
p) Sie hat ____ eine Halskette gewünscht.
q) Sie hat ____ eine Zeitung gelesen.
r) Sie hat ____ eine Wohnung gemietet.

10. Was passt nicht?

Zu Lektion 4 Wiederholung

a) Die Arbeit ist *anstrengend – angenehm – arm – gefährlich – interessant.*
b) Ludwig arbeitet *selbständig – sozial – schnell – langsam – alleine.*
c) Die Fabrik produziert *Exporte – Autos – Waschmaschinen – Lastwagen – Kleidung.*
d) In der Firma werden *Lampen – Batterien – Glühbirnen – Spiegel – Jobs* hergestellt.

11. Wo passen die Wörter am besten?

Zu Lektion 4 Wiederholung

Wirtschaft	Handel	Besitzer	Geld	Energie	Arbeitnehmer	Auto	Industrie

a) Diesel – Benzin – Öl – Gas: ____________
b) Import – Export – Kaufmann – verkaufen: ____________
c) Fabrik – Technik – Maschinen – Arbeiter – produzieren: ____________
d) Lohn – Gehalt – Rente – Steuern: ____________
e) Handel – Industrie – Export – Import – kapitalistisch – Konkurrenz: ____________
f) Job – Lohn – arbeiten – kündigen – streiken – arbeitslos: ____________
g) Benzin – Motor – Bremse – Tankstelle – Werkstatt – Panne: ____________
h) Chef – Arbeitgeber – reich – Firma – Fabrik: ____________

12. Sagen Sie es anders.

Zu Lektion 4 Wiederholung

Man hat vergessen,

a) das Auto zu waschen. *Das Auto wurde nicht gewaschen.*
b) das Fahrlicht zu reparieren. *Das Fahrlicht* ____________
c) die Reifen zu wechseln. ____________
d) den neuen Spiegel zu montieren. ____________
e) die Handbremse zu prüfen. ____________
f) die Sitze zu reinigen. ____________
g) das Blech am Wagenboden zu schweißen. ____________

13. Ergänzen Sie.

Zu Lektion 5 Wiederholung

sich unterhalten	kennen lernen	sich aufregen	sich streiten	heiraten
küssen	lügen	flirten	lieben	

a) Mann, Frau, Kirche, Ring: ____________
b) Menschen, neu, sich vorstellen: ____________
c) Problem, sich nicht verstehen, laut sprechen: ____________
d) Menschen, Mund, Gesicht, sich mögen: ____________
e) Menschen, sich sehr gern haben: ____________
f) über etwas sprechen, Gespräch: ____________
g) sich ärgern, laut sein, nervös sein, schimpfen: ____________
h) nicht die Wahrheit sagen, nicht ehrlich sein: ____________
i) Mann, Frau, sympathisch finden, anschauen, nett sein, sich unterhalten: ____________

Zu Lektion 5 Wiederholung

14. Ordnen Sie.

Tante Angestellte Ehemann Bekannte Tochter Bruder Vater
Chef Opa Mutter Sohn
Schwester Freundin Großmutter Kollegin Nachbar Eltern Onkel

verwandt	nicht verwandt
Mutter	

Zu Lektion 5 Wiederholung

15. Sagen Sie es anders. Verwenden Sie einen Infinitivsatz oder einen „dass"-Satz. Manchmal sind auch beide möglich.

a) Skifahren kann man lernen. Versuch es doch mal! Es ist nicht schwierig.
Versuch doch mal, Skifahren zu lernen. Es ist nicht schwierig.

b) Im nächsten Sommer fahre ich wieder mit dir in die Türkei. Das verspreche ich dir.
c) Bei diesem Wetter willst du das Auto waschen? Das hat doch keinen Zweck.
d) Ich suche meinen Regenschirm. Kannst du mir dabei helfen?
e) Johanna und Albert haben viel zu früh geheiratet. Das ist meine Meinung.
f) Es schneit nicht mehr. Es hat aufgehört.
g) Ich möchte gerne ein bisschen Fahrrad fahren. Hast du Lust?
h) Heute gehe ich nicht schwimmen. Ich habe keine Zeit.
i) Du solltest weniger rauchen, finde ich.

16. Ordnen Sie.

Katze Nebel Küste Rasen Park Wald Wolke Regen Schnee
Kalb Hund Wind Pferd Gebirge See Sonne Schwein Baum
Eis
Hügel Insel Tal Vieh Berg Feld Blume Strand Klima
Gras Fluss Huhn Ufer Bach Vogel Meer Kuh schneien Fisch regnen Gewitter

Tiere	Pflanzen	Landschaft	Wetter

17. Ergänzen Sie.

Zu Lektion 6 Wiederholung

a) Das ist meine Schwester, __________ jetzt in Afrika lebt.
b) Das ist das Haus, __________ __________ ich lange gewohnt habe.
c) Das ist mein Bruder Bernd, __________ __________ ich dir gestern erzählt habe.
d) Hier siehst du den alten VW, __________ ich zwölf Jahre gefahren habe.
e) Das ist der Mann, __________ __________ ich den ersten Kuss bekommen habe.
f) Das sind Freunde, __________ __________ ich vor zwei Jahren im Urlaub war.
g) Das sind die Nachbarn, __________ __________ Kinder ich manchmal aufpasse.
h) Und hier ist die Kirche, __________ __________ ich geheiratet habe.
i) Hier siehst du einen Bekannten, __________ __________ Schwester ich studiert habe.
j) Das ist die Tante, __________ alten Schrank ich bekommen habe.
k) Hier siehst du meine Großeltern, __________ jetzt im Altersheim wohnen.

18. Was passt nicht?

Zu Lektion 7 Wiederholung

a) *ausziehen:* den Mantel, aus der Wohnung, aus der Stadt, die Jacke
b) *beantragen:* einen Pass, ein Visum, einen Ausweis, eine Frage, eine Erlaubnis
c) *bestehen:* die Untersuchung, den Test, das Examen, die Prüfung, das Diplom
d) *fliegen:* in den Urlaub, nach Paris, mit einem kleinen Flugzeug, über den Wolken, mit dem Auto
e) *verstehen:* die Sprache, kein Wort, den Text, den Fernseher, das Problem, die Frage, Frau Behrens, den Film
f) *vorschlagen:* einen Plan, eine Lösung des Problems, eine Reise nach Berlin, eine Schwierigkeit, ein neues Gesetz
g) *reservieren:* das Gepäck, ein Hotelzimmer, einen Platz im Flugzeug, eine Theaterkarte
h) *packen:* den Koffer, eine Reisetasche, das Hemd in den Koffer, das Auto in die Garage

19. Ergänzen Sie.

Zu Lektion 7 Wiederholung

a) Hand : Seife / Zähne : ______________________________
b) Geschirr : spülen / Wäsche : ______________________
c) Seife, Waschmittel, Zahnpasta, ... : Drogerie / Medikamente : ______________________________
d) Hände : waschen / Zähne : ______________________________
e) Auto : Benzin / Waschmaschine : ______________________________

f) Licht : Schalter / Feuer : ______________________
g) Fleisch braten : Pfanne / Suppe kochen : ______________________
h) einen Tag : Ausflug / mehrere Tage : ______________________
i) zwischen zwei Zimmern : Tür / zwischen zwei Staaten : ______________________
j) Montag bis Freitag : Arbeitstage / Samstag und Sonntag : ______________________
k) Hotel : Zimmer / Campingplatz : ______________________
l) Suppe : Löffel / Fleisch : ______________________ und Messer
m) Wörter : Lexikon / Telefonnummern : ______________________
n) klein : Dorf / groß : ______________________
o) sieben Tage : Woche / 365 Tage : ______________________
p) das eigene Land : Heimatland / das fremde Land : ______________________

Zu Lektion 7 Wiederholung

20. Ergänzen Sie die Fragesätze.

Birgits Freund Werner hatte einen Autounfall. Eine Freundin ruft sie an und möchte wissen, was passiert ist. Birgit weiß selbst noch nichts. Was sagt Birgit?

a) ● Wurde Werner schwer verletzt?
 ■ Ich weiß auch noch nicht, *ob er* ______________________
b) ● Wie lange muss er im Krankenhaus bleiben?
 ■ Der Arzt konnte mir nicht sagen, *wie lange* ______________________
c) ● Wo ist der Unfall passiert?
 ■ Ich habe noch nicht gefragt, ______________________
d) ● War noch jemand im Auto?
 ■ Ich kann dir nicht sagen, ______________________
e) ● Wohin wollte er denn fahren?
 ■ Er hat mir nicht erzählt, ______________________
f) ● Ist der Wagen ganz kaputt?
 ■ Ich weiß nicht, ______________________
g) ● Kann man ihn schon besuchen?
 ■ Ich habe den Arzt noch nicht gefragt, ______________________
h) ● Bezahlt die Versicherung die Reparatur des Wagens?
 ■ Ich habe die Versicherung noch nicht gefragt, ______________________

21. Welches Verb passt nicht?

Zu Lektion 8 Wiederholung

a) verlieren – fordern – streiken – verlangen – demonstrieren
b) erklären – erinnern – beschreiben – zeigen
c) diskutieren – sprechen – erzählen – sagen – lachen
d) kontrollieren – prüfen – kritisieren – testen – untersuchen
e) passieren – geschehen – los sein – hören
f) trinken – schreiben – lesen – hören – sprechen
g) stehen – liegen – hängen – schaffen – stellen – legen
h) schaffen – feiern – Erfolg haben – klappen – gewinnen
i) hören – sehen – fühlen – erinnern – schmecken
j) fehlen – weg sein – nicht da sein – finden
k) bringen – treffen – holen – nehmen
l) lachen – weinen – sterben – Spaß haben – traurig sein

22. Schlagzeilen aus der Presse. Ergänzen Sie die Präpositionen.

Zu Lektion 8 Wiederholung

zwischen, unter, bei, durch, während, von ... bis, nach, auf, mit, gegen, von ... nach, aus, über, seit, in, bis

a) Autobahn __________ das Rothaargebirge wird doch nicht gebaut
b) Ostern: Wieder viel Verkehr __________ unseren Straßen
c) 1000 Arbeiter __________ VW entlassen
d) U-Bahn __________ Bornum __________ List fertig: 40 000 fahren jetzt täglich __________ der Erde
e) __________ Bremen und Glasgow gibt es jetzt eine direkte Flugverbindung
f) Autobahn A 31 jetzt __________ Amsterdam fertig
g) Flüge __________ den Atlantik werden billiger
h) Lastwagen __________ Haus gefahren. Fahrer schwer verletzt __________ Krankenhaus
i) Theatergruppe __________ China zu Gast __________ Düsseldorf
j) Parken im Stadtzentrum __________ 9 __________ 18 Uhr jetzt ganz verboten
k) Halbe Preise bei der Bahn für Jugendliche __________ 25 und für Rentner __________ 60
l) Apotheker streiken: __________ der Feiertage kein Notdienst?
m) Stadt muss sparen: Weniger U-Bahnen __________ Mitternacht
n) Probleme in der Landwirtschaft: __________ fünf Wochen kein Regen
o) Der Sommer beginnt: __________ zwei Wochen öffnen die Schwimmbäder
p) Aktuelles Thema bei der Frauenärzte-Konferenz: __________ 40 Jahren noch ein Kind?
q) Stadtbibliothek noch __________ Montag geschlossen
r) Alkoholprobleme in den Betrieben: Viele trinken auch __________ der Arbeitszeit

Zu Lektion 8 Wiederholung

23. Ergänzen Sie.

Katastrophe	Demokratie	Bürger	Krieg	Zukunft	Soldaten
Kabinett	Präsident	Partei	Gesetze	Nation	

a) Volk, Bevölkerung : Bürger / Armee, Militär : ________________________
b) Firma : Chef / Staat : ________________________
c) Verein : Mitglieder / Staat : ________________________
d) Sport : Verein / Politik : ________________________
e) zwischen Menschen : Streit / zwischen Staaten : ________________________
f) Fußballspieler : Mannschaft / Minister : ________________________
g) wenige Menschen bestimmen : Diktatur / das Volk entscheidet : ________________________
h) Spiel : Regeln / Staat : ________________________
i) Verwandte : Familie / Bürger : ________________________
j) gestern : Geschichte / morgen : ________________________
k) schlimm : Problem / besonders schlimm : ________________________

Zu Lektion 9 Wiederholung

24. Was passt?

a) Kopf : denken / Herz : ________________________
b) Bett : liegen / Stuhl : ________________________
c) Brief : schreiben / Telefon : ________________________
d) Sache : wissen / Person : ________________________
e) Geschirr : spülen / Wäsche : ________________________
f) Mund : sprechen / Ohr : ________________________
g) Geschichte : erzählen / Lied : ________________________
h) wissen : antworten / wissen wollen : ________________________
i) traurig sein : weinen / sich freuen : ________________________
j) sauber machen : putzen / Ordnung machen : ________________________

Zu Lektion 9 Wiederholung

25. Ordnen Sie.

sich verbrennen	sich gewöhnen	sich interessieren		sich bewerben
sich unterhalten	sich begrüßen	sich erinnern	sich verstehen	sich beeilen
sich beschweren	sich schlagen	sich besuchen	sich treffen	sich anrufen
sich duschen	sich ärgern	sich anziehen	sich setzen	
sich streiten	sich ausruhen	sich verabreden		sich einigen

man macht es allein	man macht es zusammen mit einer anderen Person

26. Ergänzen Sie die Pronomen.

Zu Lektion 9 Wiederholung

a) ● Bernd, soll ich _dir_ das Essen warm machen?
■ Nein, danke, ich mache ________ ________ selber warm.

b) ● Kinder, soll ich ________ die Hände waschen?
■ Nein, wir waschen ________ ________ selber.

c) ● Kann deine Tochter ________ die Schuhe selber anziehen?
■ Ja, sie kann ________ ________ selber anziehen, aber sie braucht dafür sehr viel Zeit. Deshalb ziehe ich ________ ________ meistens an. Das geht schneller.

d) ● Frau Herbart, soll ich ________ Ihre Jacke bringen?
■ Nein, danke, ich hole ________ ________ selber.

e) ● Mama, wir sind durstig. Kannst du ________ zwei Flaschen Saft geben?
■ Nein, ihr müsst ________ ________ selber aus dem Kühlschrank holen.

f) ● Haben Ines und Georg ________ dieses tolle Auto wirklich gekauft?
■ Nein, es gehört nicht ihnen, sie haben ________ ________ geliehen.

27. Ergänzen Sie.

Zu Lektion 10 Wiederholung

weiblich, Gemüse, drinnen, springen, Badewanne, Hunger, Autor, Monate, Titel, Gras, zählen, Boot, Vieh, Wolke, nähen, Geburt, atmen, schütten, Soldat, Rezept

a) Mensch : Name / Buch : ________________
b) Straße : Auto / Fluss : ________________
c) 6 + 5 = 11 : rechnen / 1, 2, 3, 4, 5, … : ________________
d) trinken : Durst / essen : ________________
e) Ende : Tod / Anfang : ________________
f) Haus : bauen / Kleider : ________________
g) Saft, Wasser, Wein : gießen / Zucker, Mehl, Salz : ________________
h) im Garten : draußen / im Haus : ________________
i) Mann : männlich / Frau : ________________
j) schwimmen und baden : Schwimmbad / sich baden und waschen : ________________
k) 2 Kilometer, 2 Stunden : gehen / 6 Meter weit, 2 Meter hoch : ________________
l) Straße : Stein / Wiese : ________________
m) Wasser : trinken / Luft : ________________
n) Haus bauen : Bauplan / kochen : ________________
o) im Haus, in der Wohnung : Haustiere / im Stall auf dem Bauernhof : ________________
p) Bild, Zeichnung : Maler / Roman, Gedicht : ________________
q) Feuer : Rauch / Regen : ________________
r) Apfel : Obst / Gurke : ________________
s) Dienstag, Donnerstag : Tage / August, Dezember : ________________
t) Polizei : Polizist / Militär : ________________

Zu Lektion 10 Wiederholung

28. Ordnen Sie.

a) Ort und Raum

auf der Brücke   über unserer Wohnung   aus Berlin   oben   neben der Schule
nach Italien   dort   draußen   drinnen   gegen den Stein   vom Einkaufen
hinter der Tür   nach links   bei Dresden   aus der Schule   bei Frau Etzard
rechts im Schrank   im Restaurant   unten   ins Hotel   aus dem Kino   hier
zwischen der Kirche und der Schule   aus dem Haus   zu Herrn Berger   vor dem Haus
am Anfang der Straße   vom Arzt   bis zur Kreuzung   von der Freundin

wo?	woher?	wohin?

b) Zeit

bald   damals   danach   dann   dauernd   am folgenden Tag   in der Nacht
schon drei Wochen   früher   gestern   gleich   um halb acht   heute
immer   häufig   irgendwann   oft   am letzten Montag   manchmal
eine Woche lang   im nächsten Jahr   meistens   morgens   jetzt   regelmäßig
seit gestern   selten   sofort   später   ständig   täglich   jeden Abend
letzte Woche   vorher   während der Arbeit   zuerst   zuletzt   dienstags
den ganzen Tag   sechs Stunden   vor dem Mittagessen   bis morgen

wann?	wie lange (schon/noch)?	wie häufig?

Zu Lektion 10 Wiederholung

29. Was passt am besten?

Glas   Tipp   hart   laufen   frisch   tief   krank
breit   Milch   einschlafen   oder   müde
Wand   schenken   selbst   Brot   geboren   Satz

a) schmal – ________________
b) hoch – ________________
c) und – ________________
d) Mauer – ________________
e) allein – ________________
f) Wort – ________________
g) Flasche – ________________
h) alt – ________________
i) Rat – ________________
j) gestorben – ________________
k) gesund – ________________
l) weich – ________________
m) Käse – ________________
n) Mehl – ________________
o) aufwachen – ________________
p) stehen – ________________
q) schlafen – ________________
r) Geburtstag – ________________

30. Schreiben Sie eine Zusammenfassung für den Text von Anna Wimschneider.

Lesen Sie vorher noch einmal den Text von Anna Wimschneider auf den Seiten 126 und 127 im Kursbuch. Sie können die folgenden Hilfen verwenden.

- mit ihren Eltern und Großeltern auf einem Bauernhof in Bayern (Anna)
- acht Geschwister
- im Sommer 1927 bei der Geburt des achten Kindes sterben (Mutter)
- keine Mutter mehr (Familie)
- im Haus und bei der Ernte helfen (Nachbarn)
- viel Arbeit, bald keine Lust mehr (Nachbarn)
- arbeiten müssen (Kinder)
- die Hausarbeit machen (Anna)
- zeigen, wie man kocht (Nachbarin)
- morgens Schule, nachmittags und abends arbeiten (Anna)
- mit neun Jahren kochen können (Anna)
- vor allem Milch, Kartoffeln und Brot essen (Familie)
- sehr arm sein, sehr einfach leben (Familie)
- oft Hunger haben, Kartoffeln für die Schweine essen (Kinder)
- schlafen (Vater, Großeltern, Kinder)
- kaputte Kleider nähen und flicken, bis abends um 10 Uhr (Anna)
- schwere Arbeit, traurig, oft weinen (Anna)
- älter sein, einen Mann (Albert) kennen lernen (Anna)
- den Hof seiner Eltern bekommen (Albert)
- 1939 heiraten (Albert und Anna)
- nicht feiern, am Hochzeitstag arbeiten (Albert und Anna)
- für die Familie und die Eltern von Albert sorgen (Anna)
- sehr arm sein, sehr viel arbeiten
- zur Armee gehen müssen (Albert)
- Feldarbeit und Hausarbeit machen (Anna)
- helfen (niemand)
- nichts tun (Schwiegermutter)
- sehr unglücklich (Anna)

SCHLÜSSEL

Lektion 6

1. **a)** nass und kühl **b)** heiß und trocken **c)** kalt **d)** feucht und kühl **e)** warm und trocken
2. angenehm, freundlich, schön, gut, schlecht, mild, unfreundlich, unangenehm
3. *Landschaft/Natur:* Tier, Pflanze, Meer, Berg, Blume, Insel, See, Strand, Fluss, Wald, Boden, Wiese, Park, Baum

   Wetter: Gewitter, Grad, Regen, Klima, Wind, Wolke, Schnee, Eis, Sonne, Nebel
4. **a)** viel, zu viel, ein paar **b)** ein bisschen, sehr, besonders **c)** sehr, besonders, ganz **d)** ganz, einige, zu viele
5. **a)** schneit es **b)** Es regnet **c)** gibt es **d)** geht es **e)** klappt es **f)** Es ist so kalt **g)** gibt es
6. **a)** Sie **b)** Es **c)** es **d)** Er **e)** Sie **f)** Es **g)** Es **h)** Sie **i)** es **j)** Er **k)** Er **l)** Es **m)** Es **n)** Er
   In welchen Sätzen ...? b), c), f), g), i), l), m)
7. *wie?* plötzlich, langsam, allmählich
   wie oft? jeden Tag, täglich, jedes Jahr, manchmal, selten
   wann? gegen Mittag, im Herbst, nachts, am Tage, zwischen Sommer und Winter
   wie lange? für wenige Wochen, fünf Jahre, ein paar Monate, wenige Tage
8. Norden (oben), Westen (links), Osten (rechts), Süden (unten)
9. **a)** Sommer **b)** Herbst **c)** Winter **d)** Frühling
10. **a)** vor zwei Tagen **b)** spät am Abend **c)** am Mittag **d)** in zwei Tagen **e)** früh am Morgen **f)** am Nachmittag
11. **a)** am Mittag **b)** früh abends **c)** spätabends **d)** am frühen Nachmittag **e)** am späten Nachmittag **f)** frühmorgens **g)** am frühen Vormittag **h)** am Abend
12. **a)** Samstagmittag **b)** Freitagmittag **c)** Dienstagabend **d)** Montagvormittag **e)** Montagnachmittag **f)** Samstagmorgen
13. *Wann?* im Winter, bald, nachts, vorige Woche, damals, vorgestern, jetzt, früher, letzten Monat, am Abend, nächstes Jahr, heute Abend, frühmorgens, heute, sofort, gegen Mittag, gleich, um 8 Uhr, am Nachmittag, diesen Monat, am frühen Nachmittag, am Tage, mittags, morgen
    Wie oft? selten, nie, oft, immer, jeden Tag, meistens, manchmal
    Wie lange? ein paar Minuten, kurze Zeit, den ganzen Tag, einige Jahre, 7 Tage, für eine Woche, wenige Wochen, fünf Stunden
14. **a)** nächsten Monat **b)** voriges/letztes Jahr **c)** nächste Woche **d)** nächstes Jahr **e)** vorigen/letzten Monat **f)** diesen Monat **g)** dieses Jahr **h)** letzte Woche
15.

der Monat	die Woche	das Jahr
den ganzen Monat	die ganze Woche	das ganze Jahr
letzten Monat	letzte Woche	letztes Jahr
vorigen Monat	vorige Woche	voriges Jahr
nächsten Monat	nächste Woche	nächstes Jahr
diesen Monat	diese Woche	dieses Jahr
jeden Monat	jede Woche	jedes Jahr

16. **b)** Liebe Mutter,
    ich bin jetzt seit acht Wochen in Bielefeld. Hier ist das Wetter so kalt und feucht, dass ich oft stark erkältet bin. Dann muss ich viele Medikamente nehmen. Deshalb freue ich mich, dass ich in den

Semesterferien zwei Monate nach Spanien fahren kann.
Viele Grüße,
Deine Herminda

c) Lieber Karl,
ich bin jetzt Lehrer an einer Technikerschule in Bombay. Hier ist das Klima so feucht und heiß, dass ich oft Fieber bekomme. Dann kann ich nichts essen und nicht arbeiten. Deshalb möchte ich wieder zu Hause arbeiten.
Viele Grüße,
Dein Benno

17. **a)** Strand **b)** Tal **c)** Insel **d)** Ufer

18. **a)** Aber **b)** Da **c)** Trotzdem **d)** denn **e)** dann **f)** und **g)** also **h)** Übrigens **i)** Zum Schluss **j)** Deshalb

19. **a)** (1) der, (2) den, (3) auf dem, (4) in dem, (5) dessen, (6) in dem, (7) an dem, (8) an dem (wo)
b) die · die · auf der · auf der (wo) · zu der · deren · für die · auf der (wo)
c) das · in dem (wo) · dessen · in dem (wo) · in dem (wo) · in dem (wo) · das · in dem (wo)
d) die · deren · die · durch die · die · in denen (wo) · für die · in denen (wo)

	Vorfeld	Verb$_1$	Subjekt	Angabe	Ergänzung	Verb$_2$	Verb$_1$ im Nebensatz
	Ich	möchte			an einem See	wohnen,	
(1)	der				nicht sehr tief		ist.
(2)	den		nur wenige Leute				kennen.
(3)	auf dem		man			segeln	kann.
(4)	in dem		man	gut		schwimmen	kann.
(5)	dessen Wasser				warm		ist.
(6)	in dem		es		viele Fische		gibt.
(7)	an dem		es		keine Hotels		gibt.
(8)	an dem (wo)		es	mittags immer	Wind		gibt.

20. **a)** Gerät **b)** Abfall **c)** Benzin **d)** Pflanze **e)** Regen **f)** Strom **g)** Medikament **h)** Tonne **i)** Gift **j)** Plastik **k)** Temperatur **l)** Strecke **m)** Schallplatte **n)** Limonade **o)** Bäcker **p)** Schnupfen **q)** Fleisch **r)** Käse

21. **a)** Er benutzt kein Geschirr aus Kunststoff, das man nach dem Essen wegwerfen muss. **b)** Er kauft nur Putzmittel, die nicht giftig sind. **c)** Er schreibt nur auf Papier, das aus Altpapier gemacht ist. **d)** Er kauft kein Obst in Dosen, das er auch frisch bekommen kann. **e)** Er trinkt nur Saft, den es in Pfandflaschen gibt. **f)** Er schenkt seiner Tochter nur Spielzeug, das sie nicht so leicht kaputtmachen kann. **g)** Er kauft nur Brot, das nicht in Plastiktüten verpackt ist. **h)** Er isst nur Eis, das keine Verpackung hat. **i)** Er kauft keine Produkte, die er nicht unbedingt braucht.

22. **a)** eine Dose aus Blech **b)** eine Dose für Tee **c)** ein Spielzeug aus Holz **d)** eine Dose aus Plastik **e)** ein Löffel für Suppe **f)** eine Tasse aus Kunststoff **g)** ein Eimer für Wasser **h)** eine Gabel für Kuchen **i)** ein Glas für Wein **j)** ein Taschentuch aus Papier **k)** eine Flasche aus Glas **l)** ein Messer für Brot **m)** ein Topf für Suppe **n)** ein Spielzeug für Kinder **o)** eine Tasse für Kaffee **p)** eine Flasche für Milch **q)** eine Tüte aus Papier **r)** ein Schrank für Kleider **s)** ein Container für Papier **t)** ein Haus aus Stein **u)** eine Wand aus Stein **v)** Schmuck aus Gold

23. **a)** Die leeren Flaschen werden gewaschen und dann wieder gefüllt. **b)** Jedes Jahr werden in Deutschland 30 Millionen Tonnen Abfall auf den Müll geworfen. **c)** In vielen Städten wird der Müll im Haushalt sortiert.

d) Durch gefährlichen Müll werden der Boden und das Grundwasser vergiftet. **e)** Ein Drittel des Mülls wird in Müllverbrennungsanlagen verbrannt. **f)** Altglas, Altpapier und Altkleider werden in öffentlichen Containern gesammelt. **g)** Nur der Restmüll wird noch in die normale Mülltonne geworfen. **h)** In vielen Regionen wird der Inhalt der Mülltonnen kontrolliert. **i)** Auf öffentlichen Feiern sollte man kein Plastikgeschirr benutzen. **j)** Vielleicht werden bald alle Getränke in Dosen und Plastikflaschen verboten.

24. **a)** Wenn man weniger Müll produzieren würde, dann müsste man weniger Müll verbrennen. **b)** Wenn man einen Zug mit unserem Müll füllen würde, dann wäre der 12 500 Kilometer lang. **c)** Wenn man weniger Verpackungsmaterial produzieren würde, dann könnte man viel Energie sparen. **d)** Wenn man alte Glasflaschen sammeln würde, dann könnte man daraus neue Flaschen herstellen. **e)** Wenn man weniger chemische Produkte produzieren würde, dann hätte man weniger Gift im Grundwasser und im Boden. **f)** Wenn man Küchen- und Gartenabfälle sammeln würde, dann könnte man daraus Pflanzenerde machen. **g)** Wenn man weniger Müll verbrennen würde, dann würden weniger Giftstoffe in die Luft kommen.

25. **a)** machen **b)** spielen **c)** verbrennen **d)** produzieren **e)** überraschen **f)** mitmachen

26. **a)** scheinen **b)** wegwerfen **c)** baden gehen **d)** übrig bleiben **e)** fließen **f)** feiern **g)** herstellen **h)** zeigen

Lektion 7

1. **a)** Handtuch **b)** Pflaster **c)** Zahnpasta **d)** Hemd **e)** geschlossen **f)** wiegen **g)** zumachen **h)** Schweizer **i)** Regenschirm **j)** Fahrplan **k)** untersuchen **l)** ausmachen **m)** Batterie **n)** Ausland **o)** fliegen **p)** Flugzeug **q)** Reise **r)** Kleidung reinigen

2.
zu Hause: Heizung ausmachen, Fenster zumachen, Koffer packen, Wäsche waschen
im Reisebüro: Hotelzimmer reservieren, Fahrkarten holen, Fahrplan besorgen
für das Auto: Motor prüfen lassen, Benzin tanken, Wagen waschen lassen
Gesundheit: sich impfen lassen, Krankenschein holen, Medikamente kaufen
Bank: Geld wechseln, Reiseschecks besorgen

3.
ausmachen/anmachen: Heizung, Ofen, Radio, Motor, Licht, Fernseher, Herd
zumachen/aufmachen: Schirm, Koffer, Hemd, Flasche, Tasche, Buch, Tür, Auge, Ofen
abschließen/aufschließen: Hotelzimmer, Auto, Koffer, Haus, Tür

4. **a)** weg **b)** ein **c)** mit **d)** zurück **e)** weg **f)** mit **g)** weiter **h)** mit **i)** zurück **j)** weg **k)** mit **l)** mit **m)** weiter **n)** weg **o)** mit **p)** zurück **q)** mit **r)** aus **s)** mit **t)** aus **u)** ein **v)** ein **w)** aus · weiter

5. **a)** A **b)** B **c)** B **d)** A **e)** B **f)** A **g)** A **h)** B **i)** A

6. **a)** Ihr Chef lässt sie im Büro nicht telefonieren. **b)** Meine Eltern lassen mich nicht allein Urlaub machen. **c)** Sie lässt ihren Mann nicht kochen. **d)** Seine Mutter lässt ihn morgens lange schlafen. **e)** Er lässt seine Katze impfen. **f)** Ich muss meinen Pass verlängern lassen. **g)** Den Motor muss ich reparieren lassen. **h)** Ich lasse sie mit ihm spielen. **i)** Sie lässt die Wäsche reinigen. / Sie lässt die Wäsche waschen. **j)** Er lässt immer seine Frau fahren.

7. Zuerst lässt Herr Schulz im Rathaus die Pässe und die Kinderausweise verlängern. Dann geht er zum Tierarzt; dort lässt er seine Katze untersuchen. Danach fährt er in die Autowerkstatt und lässt die Bremsen kontrollieren, weil sie nach links ziehen. Im Fotogeschäft lässt er schnell den Fotoapparat reparieren. Später lässt er sich beim Friseur noch die Haare schneiden. Schließlich lässt er an der Tankstelle das Öl und die Reifen prüfen und das Auto volltanken. Dann fährt er nach Hause. Seine Frau lässt er den Koffer nicht packen, er tut es selbst. Dann ist er endlich fertig. *(Auch andere Lösungen sind möglich.)*

8. **a)** Ofen **b)** Schlüssel **c)** Krankenschein **d)** Blatt **e)** Salz **f)** Papier **g)** Uhr **h)** Seife **i)** Pflaster **j)** Fahrrad **k)** Liste **l)** Waschmaschine **m)** Liste **n)** Telefonbuch **o)** normalerweise **p)** üben **q)** Saft

9. **a)** reservieren **b)** geplant **c)** buche **d)** beantragen **e)** bestellen **f)** geeinigt **g)** überzeugt **h)** gerettet **i)** erledigen

10. **a)** keinen · nicht **b)** kein · nicht · keine · nicht · nichts · keine **c)** nicht · keinen · nichts

11. *etwas vorschlagen:* Ich schlage vor, Benzin mitzunehmen. Wir sollten Benzin mitnehmen. Ich meine, dass wir … Ich finde es wichtig, … Wir müssen unbedingt … Ich würde Benzin mitnehmen.
die gleiche Meinung haben: Ich finde auch, dass wir … Stimmt! Benzin ist wichtig. Ich bin auch der Meinung, … Ich bin einverstanden, dass …
eine andere Meinung haben: Ich bin dagegen, … Benzin? Das ist nicht notwendig. Es ist Unsinn, … Benzin ist nicht wichtig, … Ich bin nicht der Meinung, dass …

12. **a)** Zum Waschen braucht man Wasser. **b)** Zum Kochen braucht man einen Herd. **c)** Zum Skifahren braucht man Schnee. **d)** Zum Schreiben braucht man Papier und einen Kugelschreiber. **e)** Zum Fotografieren braucht man einen Fotoapparat und einen Film. **f)** Zum Telefonieren braucht man oft ein Telefonbuch. **g)** Zum Lesen sollte man gutes Licht haben. **h)** Zum Schlafen braucht man Ruhe. **i)** Zum Wandern sollte man gute Schuhe haben. **j)** Zum Lesen brauche ich eine Brille.

13. **a)** Wo **b)** Womit **c)** Warum **d)** Wer **e)** Wie **f)** Wie viel **g)** Wo **h)** Wohin **i)** Woher **j)** Woran **k)** Was

14. **a)** Ute überlegt, ob sie in Spanien oder in Italien arbeiten soll. **b)** Stefan und Bernd fragen sich, ob sie beide eine Arbeitserlaubnis bekommen. **c)** Herr Braun möchte wissen, wo er ein Visum beantragen kann. **d)** Ich frage mich, wie schnell ich im Ausland eine Stelle finden kann. **e)** Herr Klar weiß nicht, wie lange man in den USA bleiben darf. **f)** Frau Seger weiß nicht, ob ihre Englischkenntnisse gut genug sind. **g)** Frau Möller fragt sich, wie viel Geld sie in Portugal braucht. **h)** Herr Wend weiß nicht, wie teuer die Fahrkarte nach Spanien ist. **i)** Es interessiert mich, ob man in London leicht eine Wohnung finden kann.

	Junkt.	Vorfeld	Verb$_1$	Subj.	Erg.	Ang.	Ergänzung	Verb$_2$	Verb$_1$ im Nebensatz
a)		Ute	überlegt,						
	ob			sie			in Sp. oder in It.	arbeiten	soll.
b)		S. und B.	fragen		sich,				
	ob			sie beide		eine Arb.			bekommen.
c)		Herr B.	möchte					wissen,	
	wo			er			ein Visum	beantragen	kann.
d)		Ich	frage		mich,				
	wie schnell			ich		im Ausland	eine Stelle	finden	kann.

15. **a)** Ausland **b)** Fremdsprache **c)** Jugendherberge **d)** Freundschaft **e)** Heimat **f)** Angst **g)** Prüfung **h)** Erfahrung **i)** Bedienung **j)** Buchhandlung **k)** Gast

16. **a)** B **b)** C **c)** A **d)** B

17. **a)** Ich gehe ins Ausland um dort zu arbeiten. / Ich gehe ins Ausland, weil ich dort arbeiten will. **b)** Ich arbeite als Bedienung, um Leute kennen zu lernen. / Ich arbeite als Bedienung, weil ich Leute kennen lernen möchte. **c)** Ich mache einen Sprachkurs, um Englisch zu lernen. / Ich mache einen Sprachkurs, weil ich Englisch lernen möchte. **d)** Ich wohne in einer Jugendherberge, um Geld zu sparen. / Ich wohne in einer Jugendherberge, weil ich Geld sparen muss. **e)** Ich gehe zum Rathaus, um ein Visum zu beantragen. / Ich gehe zum Rathaus, weil ich ein Visum beantragen will. **f)** Ich fahre zum Bahnhof, um meinen Koffer abzuholen. / Ich fahre zum Bahnhof, weil ich meinen Koffer abholen will. **g)** Ich fliege nach Ägypten, um die Pyramiden zu sehen. / Ich fliege nach Ägypten, weil ich die Pyramiden sehen möchte.

18. **a)** tolerante Männer **b)** ernstes Problem **c)** egoistischen Ehemann **d)** herzliche Freundschaft **e)** nette Leute **f)** komisches Gefühl **g)** selbständiger Junge **h)** dicken Hund **i)** alten Mutter

19. **a)** dieselbe **b)** verschieden · gleichen (anders · gleiche) **c)** andere · ähnliche

derselbe	dieselbe	dasselbe	dieselben
der gleiche	die gleiche	das gleiche	die gleichen
ein anderer	eine andere	ein anderes	andere
denselben	dieselbe	dasselbe	dieselben
den gleichen	die gleiche	das gleiche	die gleichen
einen anderen	eine andere	ein anderes	andere
demselben	derselben	demselben	denselben
dem gleichen	der gleichen	dem gleichen	den gleichen
einem anderen	einer anderen	einem anderen	anderen

20. **a)** Bedeutungen **b)** Einkommen **c)** Erfahrung **d)** Kontakt **e)** Pech **f)** Schwierigkeiten **g)** Angst **h)** Gefühl **i)** Zweck

21. A 5, B 8, C 6, D 2, E 7, F 3, G 1, H 4

22. **a)** Er ist nach Deutschland gekommen, um hier zu arbeiten. **b)** Er ist nach Deutschland gekommen, damit seine Kinder bessere Berufschancen haben. **c)** …, um mehr Geld zu verdienen. **d)** …, um später in Italien eine Autowerkstatt zu kaufen. / … eine Autowerkstatt kaufen zu können. **e)** …, damit seine Kinder Deutsch lernen. **f)** …, damit seine Frau nicht mehr arbeiten muss. **g)** …, um in seinem Beruf später mehr Chancen zu haben. **h)** …, damit seine Familie besser lebt. **i)** …, um eine eigene Wohnung zu haben.

23. **a)** Mode **b)** Schwierigkeit **c)** Regel **d)** Lohn/Einkommen **e)** Diskussion **f)** Presse **g)** Bauer **h)** Verwandte **i)** Gefühl **j)** Besitzer(in) **k)** Ausländer(in) **l)** Änderung **m)** Bedeutung

24. **a)** weil **b)** – **c)** zu **d)** damit **e)** – **f)** zu **g)** dass **h)** Um **i)** zu **j)** – **k)** zu **l)** damit **m)** – **n)** zu **o)** um **p)** zu **q)** – **r)** zu **s)** um **t)** zu **u)** dass

25. **a)** schon **b)** noch nicht **c)** noch **d)** nicht mehr **e)** schon etwas **f)** noch nichts **g)** noch etwas **h)** nichts mehr **i)** immer noch nicht **j)** schon wieder **k)** noch immer **l)** nicht immer

26. **a)** durstig **b)** aufhören **c)** Lehrling **d)** Kellnerin **e)** angestellt **f)** höchstens **g)** rausgehen **h)** Apotheke **i)** letzte Woche **j)** steigen

27. **a)** für · interessiert **b)** gilt · in · für **c)** arbeitet · bei **d)** mit · über · gesprochen **e)** hatte · Angst vor (bei) **f)** Kontakt zu · gefunden **g)** hat · Schwierigkeiten mit **h)** über · denken **i)** bei · helfen **j)** beschweren · über **k)** an · ans · denken **l)** an · gewöhnt **m)** auf · hoffen **n)** über · klagen **o)** über · gesagt **p)** bin für

Lektion 8

1. **a)** In Stuttgart ist ein Bus gegen einen Zug gefahren. **b)** In Deggendorf ist ein Hund mit zwei Köpfen geboren. **c)** In Linz hat eine Hausfrau vor ihrer Tür ein Baby (*oder* eine Tasche mit einem Baby) gefunden. **d)** In Basel hat es wegen Schnee Verkehrsprobleme gegeben. **e)** New York war ohne Strom (*oder* ohne Licht). **f)** In Duisburg haben Arbeiter für 5 Prozent Lohnerhöhung demonstriert.

2. **a)** Beamter, Pass, Zoll **b)** Gas, Öl, Strom **c)** Aufzug, Wohnung, Stock **d)** Briefumschlag, Päckchen, Paket **e)** Kasse, Lebensmittel, Verkäufer **f)** Bus, Straßenbahn, U-Bahn

3. **a)** Das Auto fährt ohne Licht. **b)** Ich habe ein Päckchen mit einem Geschenk bekommen. **c)** Wir hatten gestern wegen eines Gewitters keinen Strom. / Wegen eines Gewitters hatten wir gestern … **d)** Diese Kamera funktioniert ohne Batterie. **e)** Ich konnte gestern wegen des schlechten Wetters nicht zu dir kommen. / Wegen des schlechten Wetters konnte ich gestern … **f)** Jeder in meiner Familie außer mir treibt Sport. **g)** Der Arzt hat wegen einer Verletzung mein Bein operiert. / Wegen einer Verletzung hat der Arzt … **h)** Ich bin gegen den Streik. **i)** Die Industriearbeiter haben für mehr Lohn demonstriert. **j)** Man kann ohne Visum nicht nach Australien fahren. / Ohne Visum kann man …

4.

	ein Streik	eine Reise	ein Haus	Probleme
für	einen Streik	eine Reise	ein Haus	Probleme
gegen	einen Streik	eine Reise	ein Haus	Probleme
mit	einem Streik	einer Reise	einem Haus	Problemen
ohne	einen Streik	eine Reise	ein Haus	Probleme
wegen	eines Streiks (einem Streik)	einer Reise	eines Hauses (einem Haus)	Problemen
außer	einem Streik	einer Reise	einem Haus	Problemen

5. **a)** geben **b)** anrufen **c)** abschließen **d)** besuchen **e)** kennen lernen **f)** vorschlagen **g)** verlieren **h)** beantragen **i)** unterstreichen **j)** finden **k)** bekommen

6. **a)** die Meinung **b)** die Änderung **c)** die Antwort **d)** der Ärger **e)** der Beschluss **f)** die Demonstration **g)** die Diskussion **h)** die Erinnerung **i)** die Frage **j)** der Besuch **k)** das Essen **l)** das Fernsehen / der Fernseher **m)** die Operation **n)** die Reparatur **o)** der Regen **p)** der Schnee **q)** der Spaziergang **r)** die Sprache / das Gespräch **s)** der Streik **t)** die Untersuchung **u)** die Verletzung **v)** der Vorschlag **w)** die Wahl **x)** die Wäsche **y)** die Wohnung **z)** der Wunsch

7. **a)** über **b)** mit **c)** vor **d)** von **e)** gegen **f)** über · mit **g)** über **h)** mit **i)** zwischen **j)** für

8. **a)** Mehrheit **b)** Wahlrecht **c)** Partei **d)** Koalition **e)** Abgeordneter **f)** Steuern **g)** Minister **h)** Schulden **i)** Wähler **j)** Monarchie

9. **a)** Landtag **b)** Bürger **c)** Finanzminister **d)** Präsident **e)** Ministerpräsident **f)** Minister

10. **a)** Vor **b)** seit **c)** Von · bis **d)** nach **e)** Zwischen **f)** Im **g)** Wegen **h)** für **i)** gegen **j)** Während

11. *wann?* a), c), d), e), i) *wie lange?* b), f), g), h), j)

12. **a)** In der DDR wurde die Politik von der Sowjetunion bestimmt. **b)** Das Grundgesetz der BRD wurde von Konrad Adenauer unterschrieben. **c)** 1952 wurde von der Sowjetunion ein Friedensvertrag vorgeschlagen. **d)** Dieser Plan wurde von den West-Alliierten nicht angenommen. **e)** 1956 wurden in der (von der...) DDR und in der (von der...) BRD eigene Armeen gegründet. **f)** Seit 1954 wurde der „Tag der deutschen Einheit" gefeiert. **g)** In Berlin wurde 1961 eine Mauer gebaut. **h)** Die Grenze zur Bundesrepublik wurde geschlossen. **i)** Seit 1969 wurden politische Gespräche geführt. **j)** Im Herbst 1989 wurde die Grenze zwischen Ungarn und Österreich geöffnet.

13. **a)** 1968 **b)** 1848 **c)** 1917 **d)** 1789 **e)** 1830 **f)** 1618 **g)** 1939 **h)** 1066 **i)** 1492

14. *dasselbe:* a), b), d), g) *nicht dasselbe:* c), e), f)

15. **a)** A **b)** B **c)** C **d)** A **e)** B **f)** C **g)** B **h)** A **i)** B

16. **a)** Die Studenten haben beschlossen zu demonstrieren. **b)** Die Abgeordneten haben kritisiert, dass die Steuern zu hoch sind. **c)** Sandro möchte wissen, ob Deutschland eine Republik ist. **d)** Der Minister hat erklärt, dass die Krankenhäuser zu teuer sind. **e)** Die Partei hat vorgeschlagen, eine Koalition zu bilden. **f)** Die Menschen hoffen, dass die Situation besser wird. **g)** Herr Meyer überlegt, ob er nach Österreich fahren soll. **h)** Die Regierung hat entschieden, die Grenzen zu öffnen. **i)** Die Arbeiter haben beschlossen zu streiken. **j)** Der Minister glaubt, dass der Vertrag unterschrieben wird.

17. **a)** 5 **b)** 10 **c)** 8 **d)** 2 **e)** 4 **f)** 1 **g)** 9 **h)** 6 **i)** 3 **j)** 7

18. **a)** einer **b)** einem **c)** einer **d)** ein **e)** einer · einem **f)** einem **g)** einen **h)** ein **i)** einer **j)** einem

19. **a)** der **b)** die **c)** dem **d)** dem · das **e)** der · den **f)** den **g)** der **h)** die **i)** die **j)** die

20. **a)** Wegen seiner Armverletzung liegt Boris Becker zwei Wochen im Krankenhaus. **b)** Bekommen die Ausländer bald das Wahlrecht? **c)** Die Regierungen Chinas und Frankreichs führen politische Gespräche. **d)** Der Bundeskanzler ist mit den Vorschlägen des Finanzministers nicht einverstanden. **e)** In Sachsen wurde ein neues Parlament gewählt. **f)** Nach der Öffnung der Grenze feierten Tausende auf den Straßen von Berlin. **g)** Die Regierung hat eine (hat noch keine) Lösung der Steuerprobleme gefunden. **h)** Der Vertrag über Kultur zwischen Russland und Deutschland wurde (gestern) unterschrieben. **i)** In Deutschlands Städten gibt es zu viel Müll. **j)** Das Wetter wird ab morgen wieder besser.

Lektion 9

1. **a)** auf **b)** für **c)** von **d)** über **e)** auf **f)** mit · über **g)** zu **h)** mit **i)** über **j)** von

2. **a)** Woran denkst du gerade? **b)** Wohin fährst du im Urlaub? **c)** Worauf freust du dich? **d)** Wonach hat der Mann gefragt? **e)** Worüber möchtest du dich beschweren? **f)** Worüber denkst du oft nach? **g)** Woher kommst du? **h)** Wofür hast du dein ganzes Geld ausgegeben? **i)** Wovon hat Karin euch lange erzählt? **j)** Worüber sind viele Leute enttäuscht?

3. **a)** mich **b)** mir **c)** mich **d)** mich **e)** mich **f)** mich **g)** mir **h)** mich **i)** mich **j)** mir **k)** mich **l)** mich **m)** mir **n)** mir **o)** mich **p)** mich **q)** mir **r)** mich **s)** mich **t)** mir

4. **a)** Man kann sie besuchen, ihnen Briefe schreiben, sie auf einen Spaziergang mitnehmen, ihnen Pakete schicken, ihnen zuhören, sie manchmal anrufen.

   b) Man muss sie morgens anziehen, sie abends ausziehen, ihnen die Wäsche waschen, ihnen das Essen bringen, sie waschen, ihnen im Haus helfen, sie ins Bett bringen.

5. **a)** sich **b)** ihr **c)** sich **d)** sich **e)** ihr **f)** sie **g)** ihr **h)** sie **i)** sich

6. **a)** Gehört das Haus Ihnen? **b)** Gehört der Schlüssel Karin? **c)** Gehört das Paket euch? **d)** Gehört der Wagen ihnen? **e)** Gehört der Ausweis ihm? **f)** Gehört die Tasche Ihnen? **g)** Das Geld gehört mir! **h)** Gehören die Bücher euch? **i)** Gehören die Pakete Ihnen? **j)** Die Fotos gehören ihnen.

7. Familie Simmet wohnt seit vier Jahren mit der Mutter von Frau Simmet zusammen, weil ihr Vater gestorben ist. Ihre Mutter kann sich überhaupt nicht mehr helfen: Sie kann sich nicht mehr anziehen und ausziehen, Frau Simmet muss sie waschen und ihr das Essen bringen. Deshalb musste sie vor zwei Jahren aufhören zu arbeiten. Sie hat oft Streit mit ihrem Mann, weil er sich jeden Tag über ihre Mutter ärgert. Herr und Frau Simmet möchten sie schon lange in ein Altersheim bringen, aber sie finden keinen Platz für sie. Frau Simmet glaubt, dass ihre Ehe bald kaputt ist. *(Andere Lösungen sind möglich.)*

8. **a)** heim **b)** versicherung **c)** tag **d)** abend **e)** platz **f)** haus **g)** schein **h)** amt **i)** raum **j)** paar **k)** jahr

9. a) Ergänzen Sie:

Name:	Franz Kühler
Geburtsdatum:	14. 3. 1927
Geburtsort:	Essen
Familienstand:	Witwer
Kinder:	zwei Söhne
Schulausbildung:	Volksschule in Bochum, 1933 bis 1941
Berufsausbildung:	Industriekaufmann
früherer Beruf:	Buchhalter
letzte Stelle:	Firma Jellinek in Essen
Alter bei Anfang der Rente:	65 Jahre
Rente pro Monat:	€ 900,–
jetziger Aufenthalt:	„Seniorenpark Essen-Süd“

   b) Schreiben Sie einen Text:

   Mein Name ist Gertrud Hufendiek. Ich bin am 21. 1. 1935 in Münster geboren. Ich bin ledig und habe keine Kinder. Von 1941 bis 1945 habe ich die Volksschule besucht, von 1945 bis 1951 die Realschule. Dann habe ich eine Lehre als Kauffrau gemacht. Bei der Firma Piepenbrink in Bielefeld habe ich als Exportkauffrau gearbeitet. Mit 58 Jahren bin ich in Rente gegangen. Ich bekomme 800 Euro Rente im Monat und wohne jetzt im Seniorenheim „Auguste-Viktoria“ in Bielefeld. *(Andere Lösungen sind möglich.)*

10. **a)** Jugend **b)** Minderheit **c)** Freizeit **d)** Stadtmitte **e)** Nachteil **f)** Erwachsener **g)** Tod **h)** Friede **i)** Gesundheit **j)** Ursache **k)** Junge

11. **a)** A **b)** B **c)** B **d)** A **e)** C **f)** C

12. **a)** Regal **b)** Handwerker **c)** Zettel **d)** Bleistift **e)** Werkzeug **f)** Steckdose **g)** Pflaster **h)** Farbe **i)** Seife **j)** Bürste

13. **a)** 2 **b)** 3 **c)**7 **d)** 1 **e)** 8 **f)** 4 **g)** 6 **h)** 5

14. **a)** – mir die **b)** ihn mir – **c)** sie Hans – **d)** – mir das **e)** sie mir – **f)** – mir die **g)** sie deiner Freundin – **h)** – uns den **i)** es ihnen – **j)** sie meinem Lehrer –

15.

	Vorf.	$Verb_1$	Subj.	Ergänzung			Angabe	Ergänz.	$Verb_2$
				Akk.	Dativ	Akk.			
a)		Können	Sie		mir		bitte	die G.	erklären?
b)		Können	Sie		mir	die G.	bitte genauer		erklären?
c)		Können	Sie		mir	die	bitte		erklären?
d)		Können	Sie	sie	mir		bitte		erklären?
e)	Ich	habe			meiner S.	gestern	mein A.		gezeigt.
f)		Holst	du		mir		bitte	die S.?	
g)	Ich	suche			dir		gern	deine B.	
h)	Ich	bringe			dir	dein W.	sofort.		
i)		Zeig			mir	das	doch mal!		
j)	Ich	zeige		es	dir		gleich.		
k)		Geben	Sie		mir	die L.		jetzt?	
l)		Holen	Sie	sie	sich		doch!		
m)	Dann	können	Sie		mir	das G.	ja vielleicht		schicken.
n)	Den M.	habe	ich		ihr		vorige W.		gekauft.

16. **a)** Um acht Uhr hat er die Kinder in die Schule gebracht. **b)** Um zehn Uhr ist er einkaufen gegangen. **c)** Um elf Uhr hat er für höhere Renten demonstriert. **d)** Um zwölf Uhr hat er seiner Frau in der Küche geholfen. **e)** Um ein Uhr hat er geschlafen. **f)** Um drei Uhr hat er im Garten gearbeitet. **g)** Um fünf Uhr hat er den Kindern bei den Hausaufgaben geholfen. **h)** Um halb sechs hat er mit den Kindern Karten gespielt. **i)** Um sechs Uhr hat er eine Steckdose repariert. **j)** Um sieben Uhr hat er sich mit Freunden getroffen. **k)** Um neun Uhr hat er die Kinder ins Bett gebracht. **l)** Um elf Uhr hat er einen Brief geschrieben. *(Andere Lösungen sind möglich.)*

17. **a)** Xaver liebte immer nur Ilona. **b)** Das schrieb er seiner Frau auf einer Postkarte. **c)** Viele Männer versprachen ihr die Liebe. **d)** Sie saßen in ihrer Dreizimmerwohnung. **e)** Sie lasen ihre alten Liebesbriefe. **f)** Mit 18 lernten sie sich kennen. **g)** Xaver kam mit einem Freund vorbei. **h)** Die Jungen hörten zu, wie die Mädchen sangen. **i)** Dann setzten sie sich zu ihnen. **j)** 1916 heirateten sie. **k)** Die Leute im Dorf redeten über sie. **l)** Aber sie verstanden es. **m)** Jeden Sonntag ging er in die Berge zum Wandern. **n)** Sie wusste, dass Mädchen dabei waren. **o)** Darüber ärgerte sie sich manchmal. **p)** Sie fragte ihn nie, ob er eine Freundin hatte.

18. **a)** erzählt **b)** Sprichst **c)** erzählt **d)** unterhalten **e)** Sag **f)** redest **g)** gesagt **h)** sprechen **i)** unterhalten **j)** reden

19. **a)** stehen **b)** setzen **c)** liegt **d)** sitze **e)** liegt **f)** steht **g)** stehen **h)** gesetzt **i)** gesessen **j)** liegt

20. **a)** Sie haben sich in der U-Bahn kennen gelernt. **b)** Wir lieben uns. **c)** Sie besuchen sich. **d)** Wir helfen uns. **e)** Wir hören uns. **f)** Ihr braucht euch. **g)** Sie mögen sich. **h)** Sie haben sich geschrieben. **i)** Wir sehen uns bald. **j)** Sie wünschen sich ein Auto.

21. **a)** Wenn es regnet, gehe ich nie aus dem Haus. **b)** Bevor er geheiratet hat, hat er viele Mädchen gekannt. **c)** Weil ich dich liebe, schreibe ich dir jede Woche einen Brief. **d)** Wenn es schneit, ist die Welt ganz weiß. **e)** Es dauert noch ein bisschen, bis der Film anfängt. **f)** Als er gestorben ist, haben alle geweint. **g)** Während die Kollegen gestreikt haben, habe ich gearbeitet.

22. **a)** Frau Heidenreich ist eine alte Dame, die früher Lehrerin war. **b)** Sie hat einen Verein gegründet, der Leihgroßmütter vermittelt. **c)** Frau Heidenreich hat Freundinnen eingeladen, denen sie von ihrer Idee erzählt hat. **d)** Die älteren Damen kommen in Familien, die Hilfe brauchen. **e)** Frau Heidenreich hat sich früher um ein kleines Mädchen gekümmert, das in der Nachbarschaft lebte. **f)** Eine Dame ist ganz zu einer Familie gezogen, bei der sie vorher Leihgroßmutter war. **g)** Eine Dame kam in eine andere Familie, die nur jemanden für die Hausarbeit suchte. **h)** Es gibt viele alte Menschen, denen eine richtige Familie fehlt. **i)** Alle Leute brauchen einen Menschen, für den sie da sein können. **j)** Manchmal gibt es Probleme, über die man aber in der Gruppe reden kann.

23. **a)** ... sie Rentner sind. **b)** ... Familien ohne Großmutter zu helfen. **c)** ... gibt er eine Heiratsanzeige auf. **d)** ... will sie noch einmal heiraten. **e)** ... sie gehören zu uns. **f)** ... er fühlt sich dort nicht wohl. **g)** ... sucht er sich immer wieder Arbeit. **h)** ... sie lieben sich immer noch.

Lektion 10

1. **a)** der Anzug **b)** die Hose **c)** das Hemd **d)** die Handschuhe **e)** der Hut **f)** der Schirm **g)** die Schuhe **h)** die Socken **i)** die Jacke **j)** der Pullover **k)** die Mütze **l)** das Kleid **m)** der Rock **n)** die Bluse **o)** der Mantel **p)** die Brille

2. **a)** dick **b)** gefährlich **c)** schmutzig **d)** pünktlich **e)** ruhiger **f)** traurig **g)** vorsichtige **h)** ehrlich **i)** langweilig **j)** lustig **k)** neugierig **l)** freundlich **m)** dumm

3. **a)** weiße · blaue · graue **b)** rote · blauen **c)** schwarzen · Braune **d)** warmen **e)** neues **f)** schwarzen · rote · braune · weißen **g)** grüne · blauer **h)** roten · weißen **i)** hässlichen · komischen **j)** rotes · schwarzen **k)** hübschen **l)** schmutzigen **m)** schwarzen **n)** graue · gelben

4. **a)** Kantine **b)** Schulklasse **c)** Stelle **d)** Ausbildung **e)** Job **f)** Beruf **g)** Wissenschaft

5. **a)** Obwohl Gerda erst seit zwei Monaten ein Auto hat, ist sie schon eine gute Autofahrerin. **b)** Obwohl das Auto letzte Woche in der Werkstatt war, fährt es nicht gut. **c)** Ich fahre einen Kleinwagen, weil der weniger Benzin braucht. **d)** Wenn Doris in zwei Jahren mehr Geld verdient, kauft sie sich ein Auto. **e)** Die Polizei hat Jens angehalten, weil er zu schnell gefahren ist. **f)** Wenn Andrea 18 Jahre alt wird, möchte sie den Führerschein machen. **g)** Obwohl Thomas noch keinen Führerschein hat, fährt er schon Auto.

6. **a)** Fernseher **b)** Bild/Zeichnung **c)** Sendung **d)** Maler **e)** Orchester **f)** singen **g)** Schauspieler **h)** Zuschauer **i)** Künstler **j)** Kino **k)** Eintritt

7. **a)** Er könnte dir doch im Haushalt helfen. **b)** Ich würde ihm keinen Kuchen mehr backen. **c)** Ich würde mir wieder ein Auto kaufen. **d)** Er müsste sich eine neue Stelle suchen. **e)** Er sollte sich neue Freunde suchen. **f)** Ich würde mich nicht über ihn ärgern. **g)** Er könnte doch morgens spazieren gehen. **h)** Ich würde ihm mal meine Meinung sagen. **i)** Er sollte selbst einkaufen gehen. **j)** Ich würde mal mit ihm über euer Problem sprechen.

8. **a)** über ihren Hund, über die Regierung, über den Sportverein **b)** mit der Schule, mit der Untersuchung, mit dem Frühstück, mit der Arbeit **c)** um eine Zigarette, um Auskunft, um die Adresse, um eine Antwort, um Feuer **d)** für die schlechte Qualität, für den Brief, für meine Tochter, für die Verspätung **e)** von seiner Krankheit, vom Urlaub, über ihren Hund, von seinem Bruder, von ihrem Unfall, über den Sportverein **f)** über ihren Hund, auf den Sommer, auf das Wochenende, auf den Urlaub, über die Regierung, auf das Essen, über den Sportverein **g)** auf eine bessere Regierung, auf besseres Wetter, auf Sonne **h)** für eine Schiffsreise, für meine Tochter, für ein Haus

9. Man muss die Sätze **j)**, **m)**, **p)** mit „sich“ ergänzen.
Man kann die Sätze **a)**, **d)**, **e)**, **g)**, **h)**, **k)**, **n)**, **r)** mit „sich“ ergänzen.

10. **a)** arm **b)** sozial **c)** Exporte **d)** Jobs

11. **a)** Energie **b)** Handel **c)** Industrie **d)** Geld **e)** Wirtschaft **f)** Arbeitnehmer **g)** Auto **h)** Besitzer

12. **a)** Das Auto wurde nicht gewaschen. **b)** Das Fahrlicht wurde nicht repariert. **c)** Die Reifen wurden nicht gewechselt. **d)** Der neue Spiegel wurde nicht montiert. **e)** Die Handbremse wurde nicht geprüft. **f)** Die Sitze wurden nicht gereinigt. **g)** Das Blech am Wagenboden wurde nicht geschweißt.

13. **a)** heiraten **b)** kennen lernen **c)** sich streiten **d)** küssen **e)** lieben **f)** sich unterhalten **g)** sich aufregen **h)** lügen **i)** flirten

14. *verwandt:* Tante, Ehemann, Tochter, Bruder, Vater, Opa, Mutter, Sohn, Schwester, Großmutter, Eltern, Onkel
nicht verwandt: Angestellte, Bekannte, Chef, Freundin, Kollegin, Nachbar

15. **a)** Versuch doch mal, Skifahren zu lernen. Es ist nicht schwierig. **b)** Ich verspreche dir, im nächsten Sommer wieder mit dir in die Türkei zu fahren. / Ich verspreche dir, dass ich im nächsten Sommer wieder mit dir in die Türkei fahre. **c)** Es hat doch keinen Zweck, bei diesem Wetter das Auto zu waschen. / Es hat doch keinen Zweck, dass du bei diesem Wetter das Auto wäschst. **d)** Kannst du mir helfen, meinen Regenschirm zu suchen? **e)** Meine Meinung ist, dass Johanna und Albert viel zu früh geheiratet haben. **f)** Es hat aufgehört zu schneien. **g)** Hast du Lust, ein bisschen Fahrrad zu fahren? **h)** Heute habe ich keine Zeit, schwimmen zu gehen. **i)** Ich finde, dass du weniger rauchen solltest.

16. *Tiere:* Katze, Kalb, Hund, Pferd, Schwein, Vieh, Fisch, Huhn, Vogel, Kuh
Pflanzen: Rasen, Baum, Blume, Gras
Landschaft: Küste, Park, Wald, Gebirge, See, Hügel, Tal, Insel, Berg, Feld, Strand, Fluss, Ufer, Bach, Meer
Wetter: Nebel, Wolke, Regen, Schnee, Wind, Sonne, Eis, Klima, schneien, regnen, Gewitter

17. **a)** die **b)** in dem **c)** von dem **d)** den **e)** von dem **f)** mit denen **g)** auf deren **h)** in der **i)** mit dessen **j)** deren **k)** die

18. **a)** aus der Stadt **b)** eine Frage **c)** die Untersuchung **d)** mit dem Auto **e)** den Fernseher **f)** eine Schwierigkeit **g)** das Gepäck **h)** das Auto in die Garage

19. **a)** Zahnpasta **b)** waschen **c)** Apotheke **d)** putzen **e)** Strom **f)** Streichholz **g)** Topf **h)** Reise **i)** Grenze **j)** Wochenende **k)** Zelt **l)** Gabel **m)** Telefonbuch **n)** Stadt **o)** Jahr **p)** Ausland

20. **a)** ob er schwer verletzt wurde. **b)** wie lange er im Krankenhaus bleiben muss. **c)** wo der Unfall passiert ist. **d)** ob noch jemand im Auto war. **e)** wohin er fahren wollte. **f)** ob der Wagen ganz kaputt ist. **g)** ob man ihn schon besuchen kann. **h)** ob sie die Reparatur des Wagens bezahlt.

21. **a)** verlieren **b)** erinnern **c)** lachen **d)** kritisieren **e)** hören **f)** trinken **g)** schaffen **h)** feiern **i)** erinnern **j)** finden **k)** treffen **l)** sterben

22. **a)** durch **b)** auf **c)** bei **d)** von · nach · unter **e)** Zwischen **f)** bis **g)** über **h)** gegen · im **i)** aus · in **j)** von · bis **k)** bis · über **l)** Während **m)** nach **n)** Seit **o)** In **p)** Mit **q)** bis **r)** während

23. **a)** Soldaten **b)** Präsident **c)** Bürger **d)** Partei **e)** Krieg **f)** Kabinett **g)** Demokratie **h)** Gesetze **i)** Nation **j)** Zukunft **k)** Katastrophe

24. **a)** fühlen **b)** sitzen **c)** sprechen **d)** kennen **e)** waschen **f)** hören **g)** singen **h)** fragen **i)** lachen **i)** aufräumen

25. *allein:* sich verbrennen, sich gewöhnen, sich interessieren, sich bewerben, sich erinnern, sich beeilen, sich duschen, sich ärgern, sich anziehen, sich setzen, sich ausruhen
mit anderen: sich unterhalten, sich begrüßen, sich verstehen, sich beschweren, sich schlagen, sich besuchen, sich treffen, sich anrufen, sich streiten, sich verabreden, sich einigen

26. **a)** dir · es mir **b)** euch · sie uns **c)** sich · sie sich · sie ihr **d)** Ihnen · sie mir **e)** uns · sie euch **f)** sich · es sich

27. **a)** Titel **b)** Boot **c)** zählen **d)** Hunger **e)** Geburt **f)** nähen **g)** schütten **h)** drinnen **i)** weiblich **j)** Badewanne **k)** springen **l)** Gras **m)** atmen **n)** Rezept **o)** Vieh **p)** Autor **q)** Wolke **r)** Gemüse **s)** Monate **t)** Soldat

28. **a)** Ort und Raum

wo? auf der Brücke, am Anfang der Straße, oben, neben der Schule, bei Dresden, dort, draußen, drinnen, hinter der Tür, bei Frau Etzard, rechts im Schrank, im Restaurant, unten, hier, zwischen der Kirche und der Schule, vor dem Haus, über unserer Wohnung

woher? aus Berlin, aus dem Haus, aus der Schule, aus dem Kino, vom Einkaufen, vom Arzt, von der Freundin

wohin? gegen den Stein, nach links, nach Italien, ins Hotel, zu Herrn Berger, zur Kreuzung

b) Zeit

wann? bald, damals, danach, dann, am folgenden Tag, in der Nacht, früher, gestern, gleich, um halb acht, heute, irgendwann, am letzten Montag, im nächsten Jahr, morgens, jetzt, sofort, später, letzte Woche, vorher, während der Arbeit, zuerst, zuletzt, dienstags, vor dem Mittagessen

wie lange? schon drei Wochen, eine Woche lang, seit gestern, den ganzen Tag, sechs Stunden, bis morgen

wie häufig? dauernd, immer, häufig, manchmal, meistens, oft, regelmäßig, selten, ständig, täglich, jeden Abend

29. **a)** breit **b)** tief **c)** oder **d)** Wand **e)** selbst **f)** Satz **g)** Glas **h)** frisch **i)** Tipp **j)** geboren **k)** krank **l)** hart **m)** Milch **n)** Brot **o)** einschlafen **p)** laufen **q)** müde **r)** schenken

30. *Freie Übung; verschiedene Lösungen sind möglich.*